Lumières

sur la

médiumnité

(Ma vie avec un médium)

D1274933

**Du même auteur, à paraître aux
Éditions Liberté Nouvelle:**

Les enseignements des guerriers de la lumière, tome I

Sur les ailes de la médiumnité

Jean-Yves Labonté

Lumières

sur la

médiumnité

(Ma vie avec un médium)

LES ÉDITIONS
liberté nouvelle

Distribution :
Promo-Distinction inc.
275 A, rue Principale
Saint-Sauveur-des-Monts
(Québec) Canada, J0R 1R0
Téléphone :   1 (888) 751-0090
               (450) 227-0090
Télécopie :   (450) 227-0025
Courrier : promodi@promodistinction.com
Site : www.promodistinction.com

Page couverture : peinture de Francine Ouellet
Conception graphique : Marie-Andrée Lemieux
Mise en pages : Édi-texte Waterloo

Dépôt légal : 3ᵉ trimestre 1998
Bibliothèque nationale du Québec
ISBN 2 - 922467 - 05 - 8

«À ma conjointe bien-aimée qui a su me soutenir, m'encourager et me corriger (le texte, bien entendu...!) et à qui je dois la concrétisation de ce livre. Merci d'être tout ce que tu es.»

Jean-Yves

Introduction

Mon épouse Danielle, les enfants, et moi-même sommes des gens bien ordinaires et nous formons aussi une famille bien ordinaire.

Depuis quelque temps, notre vie est chamboulée de fond en comble car nous avons pris conscience des facultés de médium de Danielle. Pouvez-vous vous imaginer un seul instant aux prises avec de «nouvelles» capacités mentales et spirituelles, sans aucune connaissance préalable, ni même avoir déjà été témoin d'une rencontre faite avec un autre médium ? Ces capacités de ma conjointe ne sont pas réellement nouvelles. C'est plutôt notre prise de conscience de ceci qui l'est. Ou encore, diriger une transe, ou rencontre, alors que vous n'avez jamais été informé sur la façon de faire, quoique conscient des risques inhérents. C'est un peu comme essayer de faire atterrir un avion alors que vous n'avez jamais piloté, que vous êtes seul à bord et qu'en plus, la radio est en panne.

Heureusement qu'il y a en nous «Ces voix qui nous parlent»[1], comme l'exprime si bien le titre d'un des livres de Marie Lise Labonté. Ces voix, pour peu qu'on les écoute, peuvent nous gui-

---

1 Ces voix qui me parlent, LABONTÉ, MARIE LISE, Les éditions Shanti 1993

der sur bien des sentiers, dont ceux à peine connus que sont la médiumnité et le rôle de directeur de transes. Ce livre de Marie Lise, en passant, a été le seul guide «conscient» sur lequel j'ai pu m'appuyer lors de ma première direction de transe. Ni Danielle, ni moi ne croyons au hasard et nous remercions le Ciel d'avoir mis cet ouvrage et quelques autres sur notre chemin.

Il vous est raconté, dans les pages suivantes, nos expériences de néophytes telles que vécues et relatées avec une pointe d'humour qui, en passant, n'a pour seul but que de rendre la lecture de ce livre moins lourde, plus légère, telle que devrait l'être notre âme de toute façon. Considérez que ces touches d'humour n'amoindrissent en rien le sérieux du contenu et la véracité des faits et messages relatés. L'intégrité des témoignages y est rigoureusement respectée bien que vous n'êtes pas obligés d'y croire.

Si un jour de tels événements vous arrivent, (ou peut-être vous arrivent-ils déjà ??!!), n'hésitez pas à chercher de l'aide afin de mieux vivre ces phénomènes que le mot «fantastique» peut à peine qualifier. Vous pourrez ainsi en profiter au maximum tout en minimisant les risques et les désagréments.

Le présent ouvrage ne prétend pas à la perfection bien que j'y aie mis tout mon coeur. La narration de nos péripéties va sûrement faire sourire les vétérans dans les domaines de l'ésotérisme et même de l'écriture. Nous avouons notre jeunesse dans l'exploration de ceux-ci, mais nous croyons quand même utile de placer, nous aussi, des balises pour les autres «petits nouveaux» qui suivront. Vous y retrouverez l'expression de nos sentiments qui ira du doute à l'extase, de la mélancolie à la joie, de l'incrédulité à la foi, de la reconnaissance de l'ignorance vers une toujours grandissante ouverture d'esprit, et ce, toujours en passant par d'incroyables révélations ou circonstances pour le moins surprenantes. Plusieurs d'entre elles sont vérifiables, mais dans la majorité des cas il s'agit d'un véritable acte de foi. Gardez à l'esprit qu'autant il y a d'Entités et de «channels» différents, autant chaque rencontre, aussi bien que chaque expérience est particulière en elle-même. Les lignes qui suivent ne constituent donc pas nécessairement une généralité. Si vous vous reconnaissez dans une ou plusieurs de nos expériences, tant mieux, vous n'êtes pas fou, sinon vous venez peut-être de découvrir un fait inédit ou que nous n'avons tout simplement pas vécu. Vous n'êtes pas plus fou pour cela! Il s'agit ici de nos propres expériences et vous n'êtes pas obligés de vivre celles-ci pour arriver aux mêmes fins; ayez conscience de vivre les vôtres. Ceci est très important.

C'est dans un esprit d'entraide que nous vous offrons ces écrits et nous souhaitons vivement qu'ils sauront éclairer votre évolution dans ces méandres, souvent inquiétants et même, quelquefois paniquants, mais combien merveilleux de la découverte de la médiumnité. Nous espérons sincèrement que ces lignes sauront vous informer et vous guider, ou à tout le moins satisfaire votre curiosité.

N'oubliez jamais, vous qui lisez ceci, que vous avez le libre choix, l'avez toujours eu, et l'aurez toujours. Votre vie vous appartient.

Sur ce, je vous souhaite une heureuse et enrichissante lecture.

Jean-Yves.

Précision: Nous vous présentons à travers ce livre, les entités célestes canalisées par Danielle et qui se sont nommées LES GUERRIERS DE LUMIÈRE. Si comme plusieurs personnes, il vous semble illogique que des entités célestes soient des GUERRIERS, voyez ce terme comme étant MESSAGERS, puisqu'au début des Temps, les guerriers protégeaient les villages et portaient les messages...

10

Destination inconnue.

Bromont, jeudi 16 juin 1994, 23h50.

Après avoir consulté Aë-Jarma, notre pendule de cristal, et obtenu une réponse positive, Danielle et moi décidons de tenter une première transe ce soir. Elle comme médium, moi comme directeur de transe. Je n'ai ni entraînement ni expérience vécue dans ce domaine, et mes seules connaissances reposent sur mes lectures des livres de Marie Lise Labonté. Après avoir allumé un lampion sur mon bureau de chambre et placé un bâton d'encens à proximité, je rejoins Danielle dans notre lit. Elle est presque déjà en transe et je m'assois près d'elle.

Malgré la difficulté de Danielle à demeurer consciente, nous récitons ensemble les prières de protection, composées du «Notre Père» et de la «Prière de la Lumière», et je demande à Danielle de bien s'enraciner. Je lui demande ensuite de respirer profondément, jusqu'à l'ombilic et bien à fond, de retenir son souffle, puis d'expirer tout l'air très lentement. Je lui fais exécuter ces respirations profondes trois fois, répétant à tout moment la Prière de la Lumière. Je lui murmure que je suis là et que je veille sur elle.

Je demande à Danielle de s'élever vers la

11

Lumière si elle se sent prête et si, et seulement si, une entité lumineuse est prête à occuper sa forme. Je répète la Prière de la Lumière, puis je vérifie sans trop savoir pourquoi le bon fonctionnement de mon micro-enregistreur. Merde! (pardon...) il ne fonctionne pas! La lèvre inférieure de Danielle s'articule comme pour prononcer un son qui ne sort pas. L'espace d'une seconde, je panique à l'idée de mon appareil d'enregistrement en panne. Je le dépose par terre, résolu à prendre des notes dans le carnet qui traîne en permanence sur ma table de chevet.

La lèvre inférieure remue de plus en plus tandis que je répète sans cesse la Prière de la Lumière. Maintenant ce sont les mains qui bougent et s'étirent, comme pour «sentir» les limites de ce corps physique ou comme pour en étudier le fonctionnement. Ces mouvements durent peu longtemps et les mains redeviennent inertes. Je demande à l'Entité de confirmer sa présence dans le corps en bougeant la main gauche. La main gauche s'élève lentement, avec peine. Je lui demande ensuite de confirmer en exécutant le même mouvement avec la main droite. La main droite s'élève de la même façon. Une entité a pris possession du corps de Danielle! J'ignore de qui il s'agit et je constate soudainement que j'ai peur. Je réalise avoir joué à l'apprenti sorcier. Je prie alors la Lumière avec beaucoup d'ardeur pour nous assurer protection. C'est maintenant toute la bouche et la langue qui s'articulent laborieusement, mais sans qu'aucun son ne soit émis. Je transpire abondamment.

Une dizaine de minutes, qui m'ont semblé être des heures, se sont écoulées et le travail de la bouche et de la langue semble maintenant un peu plus aisé. Un faible mot que je ne comprends pas sort soudain de la bouche de Danielle. Je lui demande de répéter.

- *Soif..., soif...*

Je fais un saut à la salle de bain toute proche et reviens avec un verre d'eau dont je fais boire une petite gorgée à Danielle.

- *Élevez la forme, élevez la forme. La forme n'est pas suffisamment élevée...*

Ces mots sont prononcés avec difficulté et sur un ton très faible. Parcouru d'un frisson, je récite instinctivement le «Notre Père», sans bavure cette fois, avec une ferveur que je ne me connais pas. Je poursuis avec la «Prière de la Lumière», pour m'enquérir ensuite si la forme est suffisamment élevée.

- *Oui, la forme est maintenant suffisamment élevée et nous veillons sur elle.*

Je demande alors à l'Entité de bien vouloir s'identifier.

Elle semble «réfléchir» un instant puis répond:

13

- *Nous devons vérifier votre niveau de sincé-rité...,* (autre pause de réflexion), *nous vous en informerons plus tard.*

Déçu, je réponds tout de même :

- Très bien.

Le Visiteur enchaîne avec la requête suivante:

- *Nous permettez-vous d'apprendre à utiliser ce nouveau véhicule?*

Surpris de la question, je réponds néanmoins :

- Nous le permettons, un peu embarrassé d'avoir à répondre pour Danielle. Mais après tout, n'était-ce pas le but de cette transe, d'autant plus que les vibrations que je perçois me semblent très bienveillantes?

Il s'ensuit une série d'exercices de gymnasti-que faciale tellement amusante que je ne peux m'empêcher d'éclater de rire. Ni mes éclats de rire, ni mes excuses ne semblent gêner l'Entité qui continue son manège avec beaucoup d'ap-plication. Je ne savais pas que le visage de Danielle pouvait produire autant d'expressions aussi différentes que cocasses.

Soudain, l'Entité s'exprime:

- *Ce véhicule a besoin de réparations. N'ayez aucune crainte, à notre départ nous ferons les*

14

réparations qui s'imposent.

Je prends fébrilement note de ces paroles tout en pestant contre ma lenteur d'écriture, même si je n'ai jamais écrit aussi vite de toute ma vie.

L'Entité poursuit:

- Nous ne sommes pas plus à l'aise avec cette forme que vous avec votre crayon.

Je pouffe de rire à cette remarque, leur avouant que je les trouve très «spirituels».

- Est-ce normal cette eau que nous avons dans les yeux?

Ayoye! Je n'avais pas réalisé que la forme avait ouvert les yeux et scrutait maintenant le plafond de la chambre. Sous le double choc de cette constatation et de cette question, j'informe le Visiteur que la forme porte des lentilles cornéennes, ce qui pourrait peut-être causer cette impression «d'eau dans les yeux».

- Nous permettez-vous de retirer cette eau?.

Non sans une vague inquiétude, je réponds que oui. Quelques larmes s'écoulent alors doucement.

- Que désirez-vous savoir?

Je réalise soudainement que nous n'avons préparé aucune question mais je me reprends rapidement et énonce une question qui nous tient beaucoup à coeur, à Danielle et à moi, depuis déjà quelque temps:

- Aurons-nous (Danielle et moi) à travailler avec la Lumière dans les prochains mois?

- *C'était dans vos plans de vie. Vous êtes très jeunes dans l'utilisation de la Lumière. SOYEZ TRÈS PRUDENTS* (Ces mots ont été prononcés avec beaucoup de force et d'insistance). *Vous côtoyez une énorme boule de ténèbres. Vous êtes à l'intérieur. Protégez-vous. Soyez continuellement en contact avec la Source.*

De nouveau parcouru de frissons, je demande à l'Entité s'il y a des moyens pour entrer rapidement en contact avec la Source.

- *Il y a un «troc»..., un..., un...*

Voyant qu'elle recherche une expression, je lui suggère le mot «truc».

- *C'est cela, un truc. Ne doutez en aucun temps de vos capacités. Le doute apportera une perte considérable de Lumière. Ne doutez en AUCUN TEMPS. Doutez et vous vous abaissez. Élevez votre Esprit, GRANDISSEZ. Vous êtes jeunes, cessez de douter. Vous devez aimer et vous devez prier, toujours rester en contact avec la Source.*

Vous directeur, avez un problème! Vous n'entendez pas vos voix intérieures. Pour ce qui est du véhicule, il est en contact avec la Source.

Le truc à suivre: écoutez les voix de votre âme. Soyez plus attentifs. Vous êtes très jeunes, mais remplis de promesses.

Nous allons terminer pour l'instant. Le véhicule se fatigue. Nous allons faire du nettoyage et laisser notre place pour un retour de la forme. Nous reviendrons.

Vous devez veiller à ce que le véhicule s'enracine à son retour. Utilisez les breuvages habituellement que les formes prennent.

Nous vous remercions.

Je les remercie également puis prend ainsi fin la première transe de Danielle, laquelle a duré un peu plus d'une vingtaine de minutes. Sa tête roule doucement sur le côté gauche puis il se produit un léger sursaut de son corps. Lentement, Danielle s'éveille et elle tremble de froid. Je la recouvre d'un autre drap et je prends doucement sa tête entre mes mains en lui disant d'une voix émue:

- Bonjour... je t'aime très fort!

Quelques larmes coulent sur ses joues et elle me demande pourquoi elle pleure. Je ne sais que lui répondre mais je lui caresse le visage

17

avec beaucoup d'amour et de tendresse. Je sens énormément d'amour en moi et tout autour. Je remarque tout à coup que je suis tout en sueur, complètement trempé.

Je demande à Danielle de reprendre conscience de ce qui l'entoure, selon les recommandations de l'Entité, pendant que je vais lui chercher un verre de bière salée. Elle se sent la tête comme dans du coton. Pendant plus d'une demi-heure nous partageons sur cette expérience nouvelle et privilégiée, alors que Danielle reprend peu à peu ses esprits. Pendant la transe, elle se sentait protégée, en suspension, et comme enveloppée d'une douce lumière «jaune poussin pâle», pour utiliser son expression.

Je termine ces lignes avec le premier chant des oiseaux. Il est 3h48 et je n'ai pas sommeil du tout, mais vraiment pas du tout.

Faut que j'en parle!

Avant notre départ pour le week-end au lac Champlain, chez mes beaux-parents, je consulte Aë-Jarma pour savoir si je peux parler «de la chose» à Fernand, le père de Danielle. Le cristal me l'affirme. J'emporte donc une copie de mon récit de l'autre nuit dans le but de lui faire lire celui-ci.

Nous quittons Bromont, Danielle et moi, dans une vraie perspective de vacances et de détente. Lors des dernières semaines, nous avons travaillé pendant beaucoup d'heures consécutives. Le stress vécu lors de notre récente expérience s'ajoute et nous avons un besoin urgent de faire une pause, ou plutôt de «ne rien faire». Nous savons qu'à l'île nous pourrons nous reposer et refaire le plein d'énergie. Cet endroit est superbe et même s'il n'y a pas de cocotiers, on a qu'à fermer les yeux pour en voir partout.

Le trajet se fait sans encombre et je ne cesse de revivre mentalement cette fabuleuse expérience, encore et toujours subjugué. Je garde cependant ma concentration sur la route et je demeure vigilant. Nous nous rendons à bon port et c'est presque sans jeu de mots.

Le soleil brille et un vent doux nous rafraîchit.

19

Nous sommes assis sur la terrasse avec Fernand et Jeanine. On parle de la pluie et du beau temps, profitant de chaque instant. À un moment donné, Fernand s'éloigne pour replacer un brin d'herbe qui penche du mauvais côté. Je m'en approche et lui raconte brièvement notre expérience, puis je lui tends le récit. Il met ses lunettes, allonge ses grands bras, et commence sa lecture. À mesure qu'il lit, je vois ses sourcils devenir comme des accents circonflexes. Il me remet les papiers en me disant : «Ouais!»

J'interprète cette expression comme : «Ouf!». Il semble sous l'effet d'un choc. C'est vrai que la préparation a été courte. Je lui apprends, comme ça, que sa fille est médium et je crois que c'est très naturel et très normal qu'il dise «Ouais», quoique je m'attendais à «Ouf». Je sais qu'il croit à tout ceci, mais je sens surtout qu'il ne sait pas quoi dire.

Je regrette de l'avoir embarrassé et les prochaines fois où j'apprendrai ces choses à quelqu'un qui pourrait être concerné ou affecté, j'établirai une stratégie de façon à ne pas le déculotter. Il faudra que j'apprenne à marcher sur des oeufs.

Le reste de notre séjour est des plus reposant même si, de temps à autre, je vois Fernand perdu dans ses pensées.

Attention aux ténèbres !

Bromont, le 19 juin 1994, 23h09.

- *Pouvons-nous boire ? Le véhicule a soif de boire.*

J'acquiesce à la demande de l'Entité et, tenant le verre, je lui fais boire un peu d'eau.

Ce soir, la mise en transe s'est accomplie très rapidement. Toujours allongée dans son lit, Danielle a prêté son corps avant même que je ne puisse lui faire pratiquer les respirations préparatoires. Toutefois, les prières de protection ont été entièrement exécutées. De toute façon, je ferais avorter la mise en transe si je ne pouvais pas m'assurer de la complétion de celle-ci; le danger d'incorporer une entité de bas niveau vibratoire est trop élevé pour courir ce risque.

L'Entité semble bien plus à l'aise que la dernière fois dans le corps de Danielle. Je vérifie cette observation.

- *Nous avons à apprendre le fonctionnement. Ce temps d'apprendre* (l'apprentissage) *se fera un peu à chaque fois.*

Je m'enquiers de la condition spirituelle de la forme, à savoir si elle est suffisamment élevée.

L'Entité répond par l'affirmative.

Ayant partagé notre première expérience avec des amis habitués à ce phénomène de transes, ceux-ci nous ont dit croire qu'il s'agissait d'une entité extra-terrestre, vraiment étrangère à la Terre. Même si cette fois, nous avons (Danielle et moi) préparé une liste de questions, je décide d'orienter immédiatement le sujet des propos vers cette particularité. Je demande donc si l'Entité a déjà occupé une forme humaine comme celle-ci avant la première transe de jeudi dernier.

-Vous voulez dire (râclements de la gorge), *vous voulez dire un véhicule comme celui-ci ?*

Nous sommes à notre première expérience dans ce type de véhicule. Le fonctionnement en est très complè-xe (complexe).

Cette réponse est suivie d'un profond soupir qui ne traduit cependant pas un quelconque inconfort. L'Entité poursuit:

- Nous sommes prêts à répondre à vos demandes.

Je décide alors de remettre à plus tard l'identification de la provenance du Visiteur et j'aborde le sujet de cette énorme boule de ténèbres que nous côtoyons et dont la révélation terrifiante nous fut faite lors de la transe précédente. Je demande l'obtention de plus de détails à ce sujet. L'Entité réfléchit un court instant et entreprend:

- Nous vous avons fait part de nos inquiétudes vis-à-vis vos véhicules. *Vous DEVEZ, vous DEVEZ CONTINUEMENT* (continuellement) *vous abreuver à la Source, continuellement être en contact avec la Source, vous DEVEZ vous envelopper de Lumière et propager la Lumière autour de vous. Vous DEVEZ étendre la Lumière. Vous DEVEZ faire connaître la Lumière.*

Pouvons-nous demander de recommander au véhicule de porter ses pierres ?

Cette requête est inattendue et je crois alors qu'il s'agit des agates et quartz que Danielle transporte régulièrement sur elle. Je réponds que le message sera transmis. L'Entité devine ma méprise sur l'identification des pierres en question et rajoute:

- Elle doit continuement (continuellement) *porter les trois pierres.*

Je réalise mon erreur et cherche à savoir de quelles pierres il s'agit.

- Les pierres que nous sentons sur son véhicule, répond-elle.

C'est bien beau les pierres senties sur le véhicule, Danielle en a partout. Elle en porte au cou, elle en porte aux doigts, elle en porte aux

23

oreilles...

J'en informe l'Entité qui répond:

- *Les trois pierres.*

Les trois pierres...? Mmmm. Je cherche.

- *Où sont les oreilles?* me demande l'Entité.

Je me retiens pour ne pas tomber de ma chaise. Je me resaisis et amusé, j'explique à l'Entité que les oreilles sont des patentes, des choses, enfin des organes situés de chaque côté de la tête et qui servent à entendre, à percevoir les vibrations sonores. Comme il peut être dangereux, voire même mortel pour certains médiums en transe d'être touchés, je demande et j'obtiens la permission de toucher les oreilles afin de démontrer leurs emplacements respectifs.

- *Il s'agit de ces pierres,* confirme le Visiteur.

Danielle n'a pas trois oreilles, rien que deux. Ne portant qu'une pierre par oreille, j'en conclus donc qu'il doit obligatoirement y en avoir une autre ailleurs (pas une oreille, une pierre...). Encouragé par cette brillante déduction, je propose à l'Entité la pierre qui pend au bout d'une chaîne au cou de Danielle. Cette pierre est également une améthyste, semblable aux boucles d'oreilles. La réplique est immédiate:

24

- *Exact.*

Je m'enquiers si le reste des bijoux se doit aussi d'être porté et j'obtiens comme réponse que l'Entité y est indifférente. Je la remercie et l'assure que le message sera transmis selon sa demande.

Et l'Entité poursuit:

- *Le véhicule aussi doit, nous sentons que le véhicule a besoin de beaucoup de liquide. Nous savons maintenant qu'à notre partir..., qu'à notre partir... dernière fois* (le mot «départ» est suggéré), *partir, départ, nous avons enlevé de ce liquide, de l'eau.*

Nous avons enlevé de l'eau du véhicule. Nous ne l'avons pas apportée avec nous. Il s'agit d'une vapeur..., vapeurisation..., due à l'énergie diffusée dans le corps. (Le terme «d'énergie dispersée» est suggéré et retenu).

Nous nous excusons d'être obligés de faire ces recommandations pour protéger le véhicule de notre présence.

Il semble que l'arrivée et le départ de l'Entité dans le corps provoquent une déshydratation des cellules par une diffusion ou dispersion intense d'énergie et qui se traduit par une évaporation. Il ne s'agit pas de transpiration. Dans ces séances, ce n'est pas le corps de Danielle qui transpire, mais le mien. Et abon-

25

damment, des aisselles surtout. L'élévation de la chaleur ambiante dans la pièce pourrait être le résultat de cette diffusion d'énergie.

Même si le débit des paroles est lent, j'informe l'Entité qu'elle s'exprime très bien, ce à quoi elle répond:

- *Nous avons des problèmes à lire ou à translate...* (traduire est suggéré et retenu) *avec votre façon de vous échanger des paroles. Dans le véhicule, il semble y avoir deux sortes de transmettration (transmission) de paroles.*

J'informe l'Entité que le véhicule est bilingue et que ce fait doit être la cause de cette «confusion».

- *Nous apprenons tout de même très vite nous croyons!*

Je confirme ce commentaire en assurant à l'Entité que sa vitesse d'apprentissage est excellente et de n'y voir aucune espèce de flatterie. Je lui demande ensuite si elle a d'autres recommandations «d'entretien préventif» à formuler au sujet du véhicule.

- *Pour l'instant tout nous semble bien.*

Je lui offre à boire, tout content.

- *Nous refusons.*

Je fais une autre tentative auprès de l'Entité pour connaître son identité.

- *Nous croyons qu'il est préférable d'attendre encore un peu. Nous sommes ici pour explorer, nous sommes ici pour apprendre et nous devons chercher les véhicules qui pourront nous enseigner et qui pourront prendre nos enseignements. Nous devons évaluer les véhicules.*

- De combien de véhicules avez-vous besoin?

- *Vous demandez des quantités?*

- Nous demandons des quantités.

J'affirme ceci en expliquant que les médiums ne courent pas les rues.

- *Nous avons besoin de trouver plusieurs véhicules. Plusieurs véhicules sont déjà occupés. Nous devons trouver des véhicules. Vous devez apprendre. Vous devez apprendre. Vous DEVEZ apprendre.*

- De combien de temps terrestre disposons-nous?

- *Vous avez très peu de temps. Vous devrez..., vous subirez..., nous devons chercher le mot dans le véhicule, vous subirez une pas-guerre (non-guerre est suggéré et retenu). Une guerre non pas comme les images, mais vous avez à*

27

vaincre avec la Lumière. *Nous sommes ici pour vous aider, nous avons parmi... Il y a eu une chose comme ça parmi nous. Comme la non-guerre.*

- S'agit-il de transcender les ténèbres?

- *Vous avez à envelopper les ténèbres de Lumière.*

- De quelle façon?

- *Nous sommes ici pour aider des véhicules à se lever (s'élever), à transmettre cette Lumière.*

- De combien de temps terrestre disposons-nous?

- *Vous avez très peu de temps. Vous voulez..., vous demandez des minutes. Nous avons des problèmes avec le véhicule pour ces évaluations. Pardonnez-nous, nous apprenons à utiliser le véhicule.*

- C'est bien, il n'y a pas de faute.

Je demande maintenant à l'Entité si Aë-Jarma peut nous aider.

- *Les pierres que vous avez vous aident. Votre cristal est très vieux et très amoureux. Il vous protège et vous aide avec la Lumière.*

- Connaissez-vous la signification en français

du nom de Aë-Jarma ?

- *Pouvez-vous expliquer «en français» ???*

- Le français est la langue ou plutôt le langage que nous utilisons pour communiquer entre nous. Aë-Jarma est un nom sanscrit, et nous voulons en connaître la signification en français.

- *Nous devons vérifier dans les mémoires du véhicule. Nous ne pouvons vous donner la réponse. Notre mode de communication est par vibrations.*

- Y a-t-il d'autres façons pour vous de faire connaître vos messages que d'utiliser un véhicule?

- *Nous avons cherché un grand tas (de façons), il semble que ce soit la meilleure façon pour vous éviter les erreurs.»*

L'Entité enchaîne avec la requête suivante:

- *Nous demandons du liquide, Ô s'il-vous-plaît.*

J'acquiesce à sa demande et lui fais boire un peu d'eau. Il semble que le Visiteur a soif environ toutes les demi-heures. Il boit peu mais bien.

- *Nous devrons partir. Le véhicule ..., nous ne voulons pas briser le véhicule.*

29

- Nous vous en sommes reconnaissants.

- *Nous allons essayer de ne pas enlever trop du liquide, nous aimons bien ce véhicule.*

- Elle sera enchantée de l'apprendre.

- *Nous vous remercions.*

- Nous vous remercions également. Quand comptez-vous revenir? Quand saurons-nous que c'est le temps pour vous de revenir?

- *Écoutez vos voix intérieures et vérifiez avec le véhicule. Si le véhicule se sent bien et qu'il lui tente de nous le prêter. Nous vous saluons.»*

- Nous vous saluons et vous remercions.

Il est présentement 23h45. Danielle réintègre son corps et de nouveau, elle a froid. Je lui mets quelques couvertures sur le corps. Elle me dit, après être sortie des «vapes», qu'elle était au même endroit que lors de la première transe: toujours dans son petit cocon «jaune poussin pâle», très doux et confortable.

Notion du temps et délicatesse.

Mes pensées sont remplies des souvenirs de ces rencontres. Une foule de questions se pressent dans mon esprit. Je peux très bien comprendre que le continuum temps n'existe pas dans le monde des âmes, mais j'ai de la difficulté à concevoir que ces Entités ne puissent que très difficilement composer avec notre temps terrestre.

Depuis le temps qu'elles veillent sur l'humanité, je ne comprends pas comment elles n'ont pas pu assimiler les notions de temps. J'ai entendu dire que certaines Entités avaient moins de difficultés que d'autres à évaluer cette dimension. Peut-être est-ce dû à leurs fonctions ou à leurs missions? Je ne sais pas.

Peut-être que le fait d'être immortelles les rend totalement insensibles à la notion du temps?

Je sais par contre, que parfois elles préfèrent taire certains événements futurs. L'excuse de ne pas être familières avec nos données temporelles leur évite de mentir, car de ceci, les Entités de haut niveau vibratoire en sont totalement incapables.

Un autre aspect honore ces Entités. C'est celui de leur sens des responsabilités face à ce qui leur est prêté, notamment les «véhicules». Jamais elles n'occuperont une forme sans en avoir reçu l'invitation au préalable et tout le temps qu'elles l'occupent, elles en prennent grand soin. Elles vont même jusqu'à réparer ce qui est brisé, même si elles n'y sont pour rien.

Les pierres ou cristaux portés par certains médiums sont utiles dans le sens que plusieurs d'entre eux ont les propriétés vibratoires de favoriser la méditation, l'ouverture d'esprit et du canal de Lumière. Les améthystes et les quartz se classent parmi les meilleures dans ces domaines.

Chaque fois que Danielle revient de transe, elle est complètement perdue et c'est normal. Elle doit retrouver ses esprits et le taux vibratoire qui lui est propre. Ce n'est qu'une fois que celui-ci est revenu à la normale qu'elle se sent en super-forme. Les vibrations très élevées émises par les Entités, et dont elle demeure inhibée après leur départ, prennent tout de même un certain temps à se réduire.

Il est important que le taux vibratoire revienne à son taux normal dans des temps raisonnables, car de demeurer trop longtemps dans cet état de vibrations risque d'affecter le coeur physique. Un bon moyen pour réduire ce taux vibratoire est de frictionner les membres du médium à sa sortie de transe, et un peu plus tard (quelques heures) de lui faire un bon massage et si c'est possible, de ré-équilibrer les corps subtils. Il existe des ouvrages qui traitent de ce dernier sujet.

L'enracinement au retour de transe est essentiel pour remettre les esprits en place et les yeux en face des trous. À cet effet, un demi-verre de bière salée ou de vin est excellent. Pour ceux qui ne supportent pas la bière ou le vin, nous vous enjoignons d'essayer le jus de légumes. Dans certains cas, l'effet est même supérieur à la bière ou au vin. C'est le cas pour Danielle.

Pour terminer, assurez-vous cher directeur ou directrice, d'avoir de l'eau à proximité et en quantité suffisante pour la durée de la rencontre. Les Entités ont souvent soif.

Découvertes

- *Nous vous saluons.*

- Nous vous saluons également Entité.

- Est-ce que la forme Danielle est présentement... (je cherche mes mots), est-ce que tout va bien avec la forme Danielle?

- *Nous prenons soin de Thébarra.*

- Vous prenez soin de..., pouvez-vous répéter?

- *Nous prenons soin de Thébarra.*

- Qui est Débarra????

- *Il s'agit de Thébarra.*

- Est-ce le nom de la forme?

- *Thébarra est le véhicule.*

- Nous appelons le véhicule Danielle.

- *Nous, les vibrations que nous percevons pourraient, pour nous, porter le nom de Thébarra.*

- C'est bien, nous vous remercions, dis-je en abandonnant l'idée subite et farfelue de m'obstiner.

Ce soir, la mise en transe s'est encore accomplie plus facilement que les deux fois précédentes. Cindy, la fille de Danielle, est présente suite aux consentements de Aë-Jarma et de sa mère. C'est grandement étonnés que nous entendons l'Entité appeler le véhicule par le nom de Thébarra. À chaque parole, Cindy s'émerveille. Elle semble trouver fantastique de voir et d'entendre sa mère canaliser un esprit. Elle la voit, mais elle réalise en même temps que ce n'est pas elle qui parle. Les yeux de Cindy brillent et elle arbore un grand sourire béat.

Pour faire changement, la transe a lieu dans le salon. Danielle occupe le grand fauteuil, en position assise, les pieds bien campés sur le tapis. Cindy tient le microphone et elle le déplacera si nécessaire pour éviter que celui-ci ne soit, vu son état d'usure avancé, rendu hors d'usage par une «claque» accidentelle de l'Entité.

- *Pouvons-nous boire?*

L'Entité ayant bu, je m'enquiers si elle a des commentaires.

- *Nous nous sentons mieux à l'aise dans le véhicule. Il y a un peu d'eau dans les yeux.*

- Vous pouvez ouvrir les yeux.

N'ayant pas de réponse, je m'informe:

- Pouvez-vous voir avec les yeux du véhicule?

- *Nous n'avons pas besoin de ces organes.*

Cindy et moi sommes un peu surpris mais je décide de poursuivre, certain que le Visiteur peut très bien voir sans l'utilisation d'organes visuels et qu'elle se fie uniquement aux vibrations captées.

Et l'Entité poursuit selon ces termes:

- *Le véhicule a-t-il subi une réparation?*

- Aujourd'hui le véhicule a subi une réparation. Il s'agit d'une opération technique favorisant l'enracinement.

- *Nous vous remercions.*

- Est-ce que cette réparation a été bénéfique?

- *Nous le percevons.*

- Avez-vous à ajouter à cette réparation?

- *Nous ne croyons pas. Nous ferons ce que d'habitude nous faisons pour aider Thébarra à bien fonctionner.*

Pouvons-nous vous aider? dit gentiment le Visiteur.

- Certainement. Vous pouvez nous aider énormément. Pouvons-nous maintenant poser des questions?

- *Vous pouvez.*

- Nous vous remercions. Lors de la précédente rencontre, vous nous avez dit avoir connu une non-guerre comme celle que nous allons subir. Est-ce que cette non-guerre s'est produite sur la planète Terre?

- *Il s'agit plutôt d'une autre... plus loin... galaxie. Il s'agit d'une... ce n'était pas dans votre système. Il y a eu sur votre planète de semblable guerre mais plus..., plus de moins... importante.*

- Sur votre planète ou dans votre monde, il y a eu une non-guerre semblable à celle que nous allons subir, est-ce exact?

- *Nous sommes positifs.*

- Nous vous remercions. Pouvez-vous nous dire comment s'appelle le monde d'où vous venez?

- *Il s'agit d'une très lointaine étoile.*

- Quel est son nom?

- *Nous devons chercher un nom pour traduire*

les vibrations.

Vous pouvez continuer.

- Nous donnerez-vous ce nom bientôt?

- *Nous le ferons.*

- Nous vous remercions. Pouvez-vous nous dire quels dangers courront ceux qui ne se seront pas assez protégés pendant cette non-guerre?

- *Ils seront aspirés par les ténèbres. Sur votre monde, l'arme la plus utilisée est celle de la cupidité. Les ténèbres attirent..., trouvent des personnes par attirance avec la cupidité. Il s'agit, pour eux, d'un moyen pour attacher les gens aux biens terrestres.*

- Lorsque vous dites qu'ils seront aspirés par les ténèbres, qu'entendez-vous?

- *Ils perdront leur Lumière intérieure.*

- Est-ce que cette Lumière sera retournée à la Source?

- *Elle ne sera plus utilisée par le véhicule concerné.*

- Et la Lumière concernée sera retournée à la Source?

- *Nous l'affirmons.*

- Nous vous remercions. Le véhicule sera alors sans Lumière?

- *Exactement.*

- Qui débutera l'offensive de cette non-guerre?

- *Les ténèbres.*

- Vous est-il possible de situer cette offensive dans notre temps terrestre? Se produira-t-elle cette semaine?

- *Expliquez «cette semaine».*

J'explique alors à l'Entité ce qu'est une semaine, qu'il s'agit d'une durée de sept rotations terrestres. Étant fixée, elle répond:

- *Nous croyons.*

- Est-ce que ce sera à l'intérieur de trois rotations terrestres?

- *Nous avons des problèmes à faire cette sorte de calcul.*

- Vous venez d'un espace où il n'y a pas de temps, est-ce exact?

- *Nous vous le disons.*

40

Il s'agit pour vous d'une courte période. Vous demandez le jour. Nous croyons, nous affirmons que cela sera dans plus que trois tours, trois rotations.

- Mais moins de sept, est-ce exact?

- *Nous le croyons.*

Pendant que je vérifie mes notes de questionnaire, l'Entité pose une surprenante question:

- *Pouvons-nous tenter de bouger le véhicule?*

Je fais signe à Cindy, qui se tient en face de l'Entité, de se pousser plus à gauche de Thébarra afin de dégager la piste de décollage. On ne sait jamais avec ces Entités...!!

- Vous le pouvez, dis-je, m'attendant désormais à n'importe quoi.

- Que désirez-vous tenter? je demande avec une pointe d'inquiétude. Notre maison n'a tout de même pas les dimensions du Forum de Montréal!

- *Nous ne le savons pas.*

Je propose alors des exercices pour bouger les bras, les jambes, puis je m'informe des sensations perçues.

41

- Mmmmm, très expérimental. Nous sentons un autre véhicule..., y a-t-il..., quelq..., il y a quelqu'un avec nous, directeur..!!??. s'écrie l'Entité!

- Oui, il y a quelqu'un avec nous ce soir. Il s'agit de la fille de la forme Débarra.

- Nous nous excusons, mais votre prononciation est fausse. Il s'agit de Thébarra. Laissez-nous fouiller dans ses mémoires et nous allons vous donner les signes que vous utilisez.

T-H-E qui fait É-B-A-R-R-A. Thébarra.

Je préfère définitivement ce nom à celui de Débarra. Pendant que je prends des notes, l'Entité continue son exploration du véhicule. Elle lâche soudain une question:

- Quelles sont les choses que nous percevons comme des... petits fils sur le véhicule?

L'idée me vient que cette perception doit être causée par le vêtement que Danielle porte. Bien qu'il s'agisse d'une robe très ample et qui ne présente pas d'entrave aux mouvements, j'imagine que le contact du tissu sur la peau doit causer cette sensation de «petits fils». J'amorce alors une explication dans ce sens.

L'Entité m'interrompt presque:

- Nous ne... Il ne s'agit pas... Il s'agit... Nous allons vous montrer car cela cause des fourmis.

Sa main gauche s'élève jusqu'à la hauteur de sa tête et lentement, elle se passe les doigts dans les cheveux. Les cheveux! Je me lance alors dans l'explication de ce que sont les cheveux, leur rôle de protection, d'identification et tout ce que je sais sur le sujet. Je compare même les cheveux à de la fourrure. L'Entité caresse les cheveux, satisfaite de ma performance en patinage de vitesse.

- Nous comprenons.

Ouf! Il y a de ces fois où je me sens participer à un quiz genre «Génies en herbe» ou complètement pris dans le feu d'une «Ligue d'Improvisation» alors que la balle vient d'arriver dans mon camp par surprise. Cette impression pourrait très bien aussi se traduire par l'expression très québécoise: «Se faire prendre les culottes à terre!» Quoi qu'il en soit, ma nervosité du début commence à faire place à une plus grande aisance avec ce Visiteur. Plus je le connais, plus je suis confortable avec sa présence. Ceci ne diminue en rien mon très grand respect pour cet Être, bien au contraire.

- Poursuivez dit l'Entité, me laissant à peine le temps de retrouver mon souffle.

- Avez-vous déjà utilisé un véhicule avant celui-ci?

43

L'Entité sourit tout en réfléchissant, comme quand on se remémore un bon souvenir.

- *Nous n'avons que notre autorisation tempo-raire...*

- Vous n'avez qu'une autorisation tempo-raire...!!??

Je répète sa réponse sans comprendre. Que va-t-elle encore me sortir? À voir son air, j'en attends une sucrée...

- *Permis*, murmure l'Entité, toujours en souriant.

L'espace d'un instant, je demeure perplexe, puis j'allume! Vous n'avez qu'un permis temporaire pour utiliser ce véhicule. Cindy et moi, nous nous tordons de rire suite à cette farce monumentale. L'Entité est contente d'avoir réussi son «punch» Elle sourit de plus belle.

- *Nous avons encore de l'eau dans les yeux.*

- Désirez-vous retirer cette eau?

- *Nous le désirons.*

- Alors faites.

- *Poursuivez.*

44

Le véhicule est régénéré à pleine capacité. Il semble que Thébarra soit très bien. Nous désirons boire.

Je fais boire l'Entité et accepte ses remerciements. J'enchaîne avec la même question qui a précédemment permis à l'Entité de nous refaire une démonstration de sa très grande «spiritualité», soit le sujet de l'utilisation du véhicule.

- Nous avons dû transmettre notre sav... nous devons transmettre notre savoir à toutes les sortes de véhicules pouvant «le saigner» à d'autres. Nous croyons avoir commis une erreur de vos mots. Nous devons transmettre nos connus à tous les véhicules qui pourront transmettre leur savoir à les autres autour d'eux.»

- Pouvez-vous nous donner un truc pour vous aider à trouver des véhicules?

- Nous avons surtout besoin que vous... pour l'instant le véhicule utilisé fasse le plus connaître nos enseignements. Il est certain que nous avons besoin de véhicules, mais le besoin en est maintenant moins urgent.

- Nous vous remercions. Possédez-vous des connaissances en informatique?

- Pouvez-vous expliquer «informatique»?

Je donne une brève explication à l'Entité de ce qu'est «notre informatique». J'explique qu'il s'agit de machines dont la fonction principale est de traiter des données, et que ces machines sont très rapides et que... (je regrette d'avoir posé cette question!)

- *Il nous semble que ce système est un peu beaucoup vieux. Pourquoi ne pas utiliser les vibrations?*

Je prends mon air le moins épais, sans que ça change grand-chose, pour répondre que nous sommes encore très jeunes et que nous ne sommes pas encore très familiers avec l'utilisation des vibrations. Le sourire de l'Entité, qu'on pourrait qualifier de narquois, ajoute beaucoup d'éclat à cette déjà brillante leçon d'humilité.

Et toujours avec ce sourire et ce ton taquins:

- *Il semble que vous ayez une vie très difficile...!*

Bon prince, j'accueille ce commentaire avec un rire quand même un peu teinté de jaune. Indomptable, je demande à l'Entité s'ils peuvent nous enseigner à utiliser les vibrations, car nous aimons beaucoup apprendre aussi.

- *Écoutez vos voix intérieures.*

Ouch! Que mon ego me fait mal parfois. Toujours ce sourire et ce ton du Visiteur, qui inspire la bonté de ceux qui ré-expliquent la même chose des centaines de fois avec une patience infinie jusqu'à ce que nous ayons appris et digéré la leçon.

J'évoque tout le brouhaha des paquets de voix que nous entendons autant de l'extérieur que de l'intérieur et ce, à longueur de journée. J'avoue à l'Entité qu'il est très difficile de s'y retrouver.

- Écoutez. Dirigez-vous vers la Lumière, l'Esprit Infini, le Tout-Puissant de l'Univers.

- Nous vous remercions. Nous allons suivre votre conseil.

- Nous vous en remercions. Tous les véhicules doivent être entourés de Lumière et continuellement en rapport avec le Tout-Puissant. Il est beaucoup important.

Vous vous créez de cette façon une... une protection de bouclier pour les ténèbres. Vous devez vous protéger avec la protection. Le bouclier peut vous aider à vous enseigner. Nous devons vous former, vous préparer à vous «renforcir» (renforcer). Votre rôle est de protéger les véhicules qui n'appartiennent... qui ne sont pas avec les ténèbres. Vous deviendrez les Guerriers de la Lumière. Quelles sont ces choses...?

L'Entité vient de faire la découverte des ongles. J'explique, non sans amusement et avec un ton un peu tantinet narquois à mon tour, que les ongles poussent au bout des doigts et sont très utiles pour se gratter. Je suis très fier de mon explication. Je jubile.

- *Pourquoi devez-vous vous gratter?*

- Nous devons nous gratter parce que parfois il y a des puces qui piquent, des démangeaisons, des cheveux qui font comme des fourmis. (On appelle ça l'effet boomerang..., vu?).

Maintenant que j'écris ces lignes, je réalise que j'ai oublié, dans le délire de mon élan oratoire, de mentionner à l'Entité que les trois-quarts des nord-américains utilisent surtout leurs ongles pour gratter des billets de loterie ou pour se nettoyer le nez. De toute façon, je suis sûr que l'occasion va se re-présenter de leur parler de ce passionnant mode de vie.

- Connaissez-vous les Anges Xédah? dis-je, abordant un autre sujet.

- *Nous les reconnaissons.*

- Veuillez leur adresser nos plus respectueuses salutations.

- *Vous savez, pour nous il ne s'agit que d'un échange de vibrations.* dit-elle, utilisant un ton très amusé et taquin.

Ça y est! Je ne l'avais pas vu venir celle-là. Toujours avec le même air épais précédemment cité et qui est en voie de devenir une de mes caractéristiques dominantes, je bafouille les mêmes propos au sujet de nos difficultés à travailler avec les vibrations.

- Nous comprenons et nous transmettrons.
(vos salutations aux Anges Xédah.)

Poursuivez.

- La forme Thébarra fait demander si elle peut enlever les trois pierres occasionnellement?

- Nous suggérons de porter les trois pierres afin de nous aider, afin de l'aider à nous appeler.

Nous vous remercions.

- Pourriez-vous Ô Entité, me dire quel est mon nom vibratoire?

- Il semble que les noms soient très importants pour vous.

- En effet, les noms sont très importants pour nous car ils nous servent à identifier les gens à qui l'on parle ou de qui l'on parle.

- Nous comprenons.

- Voyez-vous, mon prénom est Yves, et j'aimerais aussi connaître mon nom vibratoire.

49

- Votre nom n'est pas complètement complet.

- ?????? Mon prénom complet est Jean-Yves.

Complètement déboussolé par cette perspicacité, je patauge en bredouillant que mon vrai prénom est Jean-Yves et que depuis très longtemps, toujours en fait, on a coupé court et utilisé seulement Yves. J'implore tout de même l'Entité de me donner mon nom vibratoire.

- Nous vous le transmettrons à notre prochaine venue.

- Pouvez-vous aussi nous donner le nom vibratoire de Cindy, la fille de Thébarra ici présente ?

- Les noms vibratoires que nous donnons sont des noms de protection pour les véhicules qui seront nos..., travaillerons pour Guerriers de la Lumière. Il ne s'agit pas réellement des noms que nous croyons que vous voulez. Ce sont des noms de protection, des noms composés de vibrations protectrices.

- Est-ce que moi Jean-Yves et aussi Cindy faisons partie des Guerriers de la Lumière?

- Nous l'affirmons. Il y a ici Tamüraj.

- Pardon ????

50

- *Il y a ici Tamüraj.*

- Qu'est-ce qu'un «tamourage»?

- *Tamüraj est le nom de protection pour le petit véhicule.*

- Pouvez-vous nous donner les lettres, les signes qui nous indiquent comment l'écrire?

- *T - A - M - U qui fait OU - R (prononcé rair) - A - J*

Nous devrons bientôt quitter.

- Avant de quitter, pouvez-vous nous dire quels liens existent entre Thébarra, Jourtou, et Tamüraj?

- *Il s'agit de Guerriers. Nous vous suggérons, directeur, de vous protéger. Vous serez, dans peu de temps, en contact avec une... avec un... véhicule de ténèbres qui pourrait vous assimiler si vous n'êtes pas protégé. Les temps se chevalent* (le terme «chevauchent» est suggéré et retenu) *se chevauchent, aussi il semblerait que, selon votre évaluation terrestre, il ne reste plus de temps. Protégez-vous avec le Tout-Puissant de ce véhicule de ténèbres. Nous devons quitter. Nous vous remercions.*

Ces dernières recommandations ont été faites avec beaucoup de lenteur et de fatigue dans la voix. Je demande à l'Entité, qu'avant de

51

quitter, elle nettoie et régénère le véhicule puis j'entame la finale des prières de protection. Danielle se réveille. Comme à l'accoutumée, elle a froid et elle tremble, aussi je la recouvre d'un drap. Lorsque ses esprits sont revenus en place, Danielle me dit que cette fois elle n'a pas séjourné dans son cocon «jaune poussin pâle». Ce soir, elle flottait suspendue quelque part dans un environnement bleu «piscine». Elle y était très à l'aise.

Pour ma part, je commence déjà à me protéger contre cette imminente tentative d'assimilation par les ténèbres en priant le Tout-Puissant et en me faisant un mantra de la Prière de la Lumière. Je ne veux pas être assimilé par les ténèbres et je me battrai, armé de l'Amour Inconditionnel et de la Lumière Infinie jusqu'à mon dernier souffle et ma dernière Étincelle. Je prie pour qu'ainsi soit la Volonté du Père et qu'Il me protège.

Le petit Robert ou le petit Larousse?

Souvent les Entités, lors de leurs explications, emploient des termes vraiment tordus et tordants. Bien sûr qu'il est permis de rire, c'est bon pour la rate. Mais soyez beau joueur et corrigez poliment l'inexactitude des termes employés. Elles vous en seront très reconnaissantes et ne vous en voudront pas pour un sou.

Voyez-vous, elles se donnent la peine de guider l'Humanité et vous, directeurs et directrices, avez le rôle de les aider à nous aider. Ce n'est pas peu dire des responsabilités qui vous reviennent. Soyez-en conscients et conseillez-les dans leurs termes et expressions. Personne ne vous demande d'étudier par coeur le petit Robert ou le petit Larousse. Tout ce que souhaitent les Entités, c'est que leurs messages soient bien compris. Si un message ne vous semble pas clair, n'hésitez pas et demandez des éclaircissements. N'acceptez d'ambiguïtés sous aucun prétexte, quitte à vous répéter ou à les faire répéter vingt fois.

Ne vous en faites pas, vous aurez toujours l'occasion de rigoler car les Entités sont continuellement à la recherche de nouvelles expressions et rien ne les amuse plus que de les essayer comme ça, à tout venant, histoire de voir votre réaction. Je crois même que parfois, elles le font exprès pour émettre une expression sans queue ni tête, totalement hors contexte, et ce, rien que pour nous faire rire.

Les mots ont une portée vibratoire qui provoque des effets. Il y a des mots qui nous semblent plus doux à l'oreille, plus mélodieux que d'autres. Les Entités célestes perçoivent aussi cette modulation vibratoire, située au-delà des mots et en ressentent différents effets. Ainsi, nous pouvons en utilisant certains mots, provoquer l'hilarité des Entités.

Par exemple, le nom de «Titanic» provoque chez eux une vague, un mouvement ondulatoire qui les amuse beaucoup. Le mot «caoutchouc» est perçu comme très rebondissant tandis que le mot «bibitte» leur cause des chatouillements.

Fantastique !

Danielle a des petits problèmes d'enracinement et on l'a invitée à servir de «cobaye» pour perfectionner une méthode d'enracinement très technique mise au point et exécutée par Woustade. J'ai aussi été invité à titre d'observateur et j'en suis très heureux.

Nous sommes un peu en avance sur notre rendez-vous. Nous montons néanmoins l'escalier et frappons à la porte. Notre hôte nous ouvre avec un bébé dans les bras, nous chuchotant, l'index sur les lèvres:

- Elle est en transe.

À ces mots, Danielle devient tout excitée. Elle verra pour la première fois, quelqu'un en transe. Il s'agit de la mère du bébé qui elle, canalise les Apôtres de l'Ascension.

Nous entrons silencieusement dans l'appartement.

Danielle a le souffle coupé et n'a pas assez de ses deux yeux pour tout voir et de ses deux oreilles pour tout entendre. Tous ses sens semblent en action. Nous percevons beaucoup d'énergie et de vibrations et c'est tout simplement époustouflant. La gestuelle est généreuse et la voix, haute et forte. Les Entités m'apparaissent de fort bonne humeur.

Je suis très impressionné car en plus, c'est la première fois que je vois quelqu'un d'autre que ma douce conjointe en transe. Danielle, pour sa part, est estomaquée.

La rencontre se termine et Danielle reste sous le choc, les yeux encore tout arrondis. Le conjoint de la dame, qui est aussi son directeur de transe, lui place les deux mains sur le coeur, une à l'avant et une à l'arrière. La médium, revenue à elle, s'aperçoit alors de notre présence, qu'elle semble trouver toute naturelle. Elle s'approche de la table et... s'allume une cigarette!

Danielle sort de sa torpeur et lui balbutie quelque chose. Gaby répond: «Eh! oui, je fume. Des tas de personnes trouvent cela bizarre un médium qui fume.»

- Cela me rassure; moi aussi je fume! lui dit Danielle en riant.

Nous bavardons un peu avec ces nouvelles connaissances, puis ceux-ci récupèrent leur poupon et nous quittent. Nous demeurons seuls avec Woustade et Sarah. Cette dernière prendra des notes sur les techniques d'enracinement exécutées puisqu'elles feront l'objet de formations futures.

Danielle s'étend sur la table installée à cet effet pour la séance et le maître commence par installer des poteaux virtuels autour d'elle à des endroits stratégiques. Puis, tel une araignée, il se met à tendre des câbles, également et toujours virtuels, qui serviront d'amarres et permettront à Danielle de mieux revenir des transes et de récupérer plus rapidement. À un certain moment, Woustade se rend à environ trois mètres des pieds de ma protégée. Toujours tourné vers elle, il se saisit d'un câble qu'il a précédemment lié à un poteau et qui relie sa cheville gauche, semble le détacher, tire dessus comme pour le bander, puis le rattache. L'espace d'une seconde, Danielle grimace de douleur, puis ses traits redeviennent peu à peu normaux et sereins. Je suis totalement sidéré.

Je laisse à nos hôtes et amis le soin et le plaisir d'expliquer dans un autre ouvrage, les détails de ce type d'enracinement, qui en passant, est incroyablement très efficace.

Plus tard, sur le chemin du retour, Danielle me confirme avoir réellement senti sa jambe gauche s'étirer, au point d'en sentir une vive douleur. Heureusement que je bénéficie d'une ouverture d'esprit assez large et d'une confiance illimitée en Danielle car il serait aisé d'imaginer une conspiration destinée à me faire croire que je suis sur le chemin de la folie.

Je sais sur quel chemin je suis et j'en suis fort aise. Je suis sur le chemin du fantastique, qui est en voie de devenir plus réel que la réalité elle-même.

Le travail accompli par Woustade se fait sur plusieurs plans, hors du visible, mais non moins réels. Cette personne a la faculté de voir, de sentir, et de raccorder non seulement les liens et les champs énergétiques qui nous entourent dans notre environnement immédiat, mais aussi à l'échelle planétaire. C'est un bien curieux bonhomme de Lumière...

Des doutes et des voix.

La visite de la chatte salue l'arrivée du Visiteur. Avec de petits miaulements timides et doux, elle vient se frotter contre les jambes de Danielle et ensuite les miennes. Plutôt inusité, car d'habitude elle me fuit, se remémorant sans doute les quelques fois où, accidentellement, je l'ai presque écrasée avec mes gros sabots.

- *Nous vous saluons.*

- Nous vous saluons également Entité.

- *Nous vous saluons Zémüra,* reprend le Visiteur.

Je tressaille.

- Comment m'avez-vous appelé??

- *Zémüra. Il s'agit de votre bouclier de protection.*

- Voulez-vous m'apprendre comment écrire ce nom?

- *Z* - (l'épellation est interrompue par l'expression de l'Entité de vouloir boire... et de poursuivre) *E qui fait É - M - U qui fait OU - R - A. Le nom est complet.*

Je suis très ému de recevoir mon bouclier de

protection; depuis que j'use mes genoux de pantalons à supplier. Je constate en même temps que l'Entité aime bien faire des surprises. Ceci me rappelle un passage d'un des livres de Marie Lise Labonté («Ces voix qui me parlent») où il est mentionné qu'après plusieurs requêtes infructueuses pour connaître l'identité du Visiteur, celui-ci la révèle au moment où plus personne ne s'y attend. S'agit-il d'un trait commun de ces Entités que d'aimer faire des surprises? Nous leur reconnaissons déjà un sens de l'humour et de la taquinerie bien particulier. Serait-ce une particularité de ces Êtres que nous appelons «spirituels»? Je commence à y croire.

Encore sonné, j'enchaîne avec:

- Avez-vous des commentaires d'ouverture?

- *Pouvons-nous un peu explorer le véhicule?*

- Certainement, faites à votre aise.

Je laisse quelques minutes à l'Entité pour refaire quelques grimaces, s'étirer la peau des bras, des mains, et du visage.

La chandelle, placée par terre dans un coin de la chambre, ne projette pas suffisamment de lumière pour que je puisse prendre des notes «bien éclairées». Je demande donc à l'Entité si elle voit des inconvénients à ce que je hausse celle-ci sur le meuble.

- Nous le permettons.

- Nous vous remercions.

Les mouvements ont cessé depuis un moment déjà et le silence s'étire au point où je m'inquiète de savoir si l'Entité s'est endormie. Pouvez-vous vous imaginer une Entité tombant de sa chaise parce qu'elle s'est endormie? Taquins comme ils sont, celle-ci serait la risée des Cieux pour les siècles des siècles. Je ne veux pas non plus qu'on dise que c'est endormant chez nous.

- Nous terminons, mais nous préférons avoir moins de votre lumière.

Je ramène la chandelle plus près du sol. Je ne comprends pas comment une Entité habituée à voir la Face Éclatante de Dieu peut en arriver à être éblouie par la seule flamme d'une chandelle. De plus, si l'on considère que l'Entité n'utilise pas les organes visuels (les yeux) du véhicule pour voir, cela nous paraît encore moins compréhensible. Nous aurons sûrement le loisir d'aborder cette question à un moment donné.

- Est-ce que Thébarra est bien?

- Nous veillons sur elle.

- Nous vous le demandons.

- Pouvons-nous poser des questions pendant que vous explorez?

- *Vous le pouvez.*

- Est-ce que Thébarra peut maintenant accéder aux enseignements qui lui sont destinés?

- *Thébarra, tout comme nous, explore. Bientôt Thébarra pourra savoir comment, où aller pour recevoir ce que les véhicules devront transmettre aux autres âmes sur votre planète.*

- Nous vous remercions. Lorsque vous dites bientôt, est-ce qu'il s'agit d'une prochaine transe?

- *Il semble que, pour vous Zémüra, le temps soit important.*

- Le temps nous semble important parce qu'il nous semble que le temps presse pour agir.

- *Nous... Nous avons un peu de la difficulté à évaluer, il y beaucoup de temps disponible et il vous faut le mettre au bon endroit. Nous avons SOIF!*

Le mot «soif» a été dit d'une façon très particulière. Tellement particulière qu'il vaut la peine de tenter de le décrire. Le mot a été dit haut, fort, clair, rieur, avec une diction parfaite. Comme en chantant.

62

Je fais boire l'Entité et elle me demande de continuer:

- Y aura-t-il prochainement une concertation pour une projection intense dans le but de protéger les adolescents aux prises avec les ténèbres?

- *Thébarra devra très bientôt transmettre nos enseignements afin d'enseigner les façons d'utiliser, de créer les boucliers de Lumière. Nous cherchons. Ces boucliers peuvent protéger des ténèbres et sont (ont) aussi le pouvoir de lancer de la Lumière. Les âmes qui sont ici doivent apprendre à projeter pour envelopper les ténèbres. Poursuivez.*

- Cette concertation ou cette projection atteindra-t-elle les résultats attendus?

- *Nous le croyons.*

- Avez-vous trouvé la signification du nom Aë-Jarma en français?

- *Il s'agit d'un Bouclier Transmetteur de Lumière Infinie.*

- Est-ce que le petit véhicule Tamüraj serait prêt à canaliser les Entités de haut niveau vibratoire telles que vous?

- *Le petit véhicule a de bonnes dispositions, mais il doit beaucoup travailler sur... il n'est pas*

63

assez ouvert. Son canal de Lumière est trop petit. Mais le petit véhicule a de très beaucoup bonnes dispositions.

- Nous vous remercions, elle sera contente de l'apprendre.

- *Pouvons-nous laisser sortir l'eau des yeux?*

- Mais oui, faites.

- *Nous vous remercions. Où sont les cheveux???*

J'entreprends d'expliquer à l'Entité que Thébarra a attaché ses cheveux pour qu'ils ne la gênent pas en sentant des «fourmis». L'Entité se passe les mains dans les cheveux, cherchant visiblement à comprendre. C'est très amusant. Cet examen dure une grosse minute après quoi l'Entité déclare d'un ton satisfait : «*Poursuivez.*»

- Pouvons-nous avoir la joie de connaître votre identité?

- *Lorsque le temps sera venu, nous serons très heureux de vous... de nous donner un nom pour vous.*

- Possédez-vous présentement un nom?

- *Pour nous il s'agit de vibrations que nous reconnaissons. Vous avez besoin d'une indication de vibrations?*

64

Je me mets à expliquer que beaucoup de vibrations ont un nom chez nous. Les couleurs en sont un exemple. J'ajoute que nous aimerions, de préférence, leur souhaiter la bienvenue par leur nom.

- *Nous comprenons.* Soyez «*patienteux»* (patients)*..., nous sommes les Guerriers de Lumière.*

- Très bien, nous patienterons. Apprenez-vous ce que vous voulez apprendre?

- *Nous explorons beaucoup ce qui entoure. Nous devons apprendre à utiliser le véhicule pour ainsi transmettre, pour aussi laisser des transmmettations* (messages) *dans le véhicule. Nous avons de l'eau dans les yeux.*

Je lui permets de la retirer.

- Nous avons une question très importante. Lors de votre dernière visite, vous m'avez mis en garde, moi Zémüra, d'une tentative d'assimilation par les ténèbres. Est-ce que cette tentative a eu lieu?

- *Nous l'affirmons.*

- Pouvez-vous nous expliquer de quelle façon elle a eu lieu?

- *Vous nous demandez de vous raconter ce que vous avez vu...! Pourquoi?!*

Cette réponse est prononcée lentement et sur un ton très taquin. Cependant le mot «Pourquoi» est dit sur un ton beaucoup plus sec, grave. Embarrassé comme un gamin pris en faute, je réponds comme pour m'excuser:

- J'ai vu beaucoup de gens et de choses hier. J'ai beaucoup été sur mes gardes. J'ai aussi beaucoup été sur mes gardes aujourd'hui. Je me demande quand c'est arrivé car je n'ai pas senti la menace.

- *Votre bouclier était en grosse action.*

- J'ai beaucoup senti l'effet de mon bouclier et c'est pourquoi je n'ai pas senti la menace. J'ai aussi eu l'aide de... d'autres âmes qui ont prié pour moi. J'ai aussi beaucoup prié.

- *Il est bien ainsi.*

- Serait-il tout de même possible de savoir d'où provenait cette menace?

- *Un véhicule empli et soutiendu* (soutenu) *par les ténèbres.*

- Est-ce que ce véhicule était jeune ou âgé?

- *Vous demandez sûrement l'enveloppe du véhicule?*

- Exact.

- Pouvez-vous donner un espace de temps pour jeune et adulte?

Je tente du mieux que je peux de trouver ce qui délimite le plus clairement possible ces deux âges. Ce que j'ai trouvé de mieux se résume par: Fin de croissance et début de maturité.

- Nous comprenons. Il s'agit d'une... petit... il s'agit d'un petit peu grand véhicule avec l'intérieur petit... Le moteur petit. Nous sentons que la réponse n'est pas comprenue (comprise) *par vous.*

Ces Entités sont sûrement des retraités de chez Canadian Tire[2]. Ils comparent nos corps à des bagnoles. Véhicules, petit intérieur, petit moteur. Je commence à croire que Jean-Guy (le comédien mécanicien buveur d'huile à moteur à la télé...) serait un beaucoup pas mal plus grand meilleur directeur de transe que moi. Je sens que je prends des manies... Tant qu'à parler «véhicule», je regarde Danielle et je me sens tout à coup très gâté d'avoir une Rolls comme épouse sans toutefois en avoir les moyens.

J'explique en toute simplicité et humilité à l'Entité que oui, dans un sens nous sommes des machines. Mais des machines organiques et intelligentes créées par Dieu et à son image. Dieu n'a pas de talent à perdre à fabriquer des

---

2 Candadian Tire désigne un magasin à grande surface spécialisé entre autres dans la vente de pièces et les services de mécanique automobile.

minounes[3]. Du moins, c'est ce que sincèrement je crois. L'Entité poursuit sa description du véhicule de ténèbres.

- Il s'agit d'un petit véhicule qui a le développement de l'enveloppe de Tamüraj, mais l'intérieur du véhicule est beaucoup, beaucoup plus petit.

- Nous vous remercions. Nous n'avons plus de questions spécifiques. Pourrions-nous profiter de vos enseignements en vous écoutant traiter d'un thème ou d'un sujet qui pourrait nous aider particulièrement?

- Vous devez écouter vos voix intérieures, les voix de la Lumière du Tout-Puissant. Vous ainsi pourrez... vous pourrez... vous devez envelopper de Lumière les véhicules, les sentiments que vous ressentez, vous devez...vous devez porter la Lumière, vous devez apporter la Lumière, la Lumière doit être à l'intérieur de votre véhicule et vous devez la projeter partout votre véhicule, par tous les petits trous de votre enveloppe (pores de la peau, reconnu comme étant le terme possiblement exact). *Vous pourrez ainsi projeter la Lumière autour de vous, vous devez enrayon... vous devez rayonnant (rayonner) de Lumière, ce qui devient votre bouclier et nous vous apprendrons, Zémüra, à faire consciemment ce que vous avez réussi par accident.*

- De quoi parlez-vous???!! dis-je, m'attendant
à être obligé d'appeler mon agent d'assurances.

- *De projection de Lumière. Vous nous comprenez?*

- Très bien.

- *Soyez assurés, nous sommes ici pour enseigner et à nos visites nous laissons des...* (l'Entité
affiche un grand sourire) *traîneries dans les
mémoires de Thébarra.*

- Désirez-vous boire?

- *Nous l'affirmons.*

- Désirez-vous tenter de boire par vous-mêmes?

- *Pouvons-le nous?* (Le pouvons-nous?)

- Bien sûr que vous le pouvez.

Je prends le verre d'eau et le place dans les
mains de l'Entité. Puis tenant sa main droite, je
porte le verre à ses lèvres et la fais boire
lentement. Je lui fais ensuite tenir le verre seule
afin qu'elle puisse sentir les dimensions, poids,
et point d'équilibre de l'objet.

- *Pouvez-vous le reprendre?*

- Bien sûr.

L'Entité semble prendre plus d'assurance dans l'exécution de ses gestes et sa diction est très bonne malgré la lenteur du débit de paroles et l'inexactitude occasionnelle de la prononciation. Elle semble douée pour la création de nouveaux mots et pour l'assemblage d'expressions souvent amusantes. Je lui fais remarquer cette constatation de progrès, ce à quoi elle répond:

- Nous croyons être beaucoup facilité de plus pour bouger le véhicule. Poursuivez. Thébarra est bien mieux là, son véhicule est un peu... un peu brisé.

J'explique à l'Entité que Thébarra connaît présentement sa fin de mois tandis que je souhaite ardemment de ne pas avoir à entrer dans les détails pour expliquer les menstruations. Il s'agit vraiment, et croyez-moi, d'une expérience non-vécue de ma part. Heureusement, l'Entité croit connaître ce dont je parle et ne demande pas plus d'explications. Ouf!

Je demande néanmoins à l'Entité de faire le nécessaire pour soulager la fatigue causée par cet état.

- À notre partir (départ) *nous ferons les réparations.*

Je poursuis avec d'autres questions portant sur la guérison.

70

- Pouvez-vous nous indiquer si le daltonisme se guérit?

- *Les véhicules, s'ils le désirent peuvent se guérir.*

- De toutes les maladies??

- *Nous l'affirmons. Les véhicules doivent vouloir et croire, ne pas douter.*

- M'est-il possible à moi, Zémüra, d'aider les véhicules à guérir s'ils le veulent?

- *Nous l'affirmons.*

- Est-ce que je possède présentement une partie de ces pouvoirs?

- *Vous êtes maître à bord! Vous n'avez pas une partie, vous avez le complet que vous regardez un peu.*

- Je comprends... Le doute est mon pire ennemi?

- *Il nous semble vous avoir déjà dit ce sujet.*

Je me sens comme un caillou.

- Est-ce que le doute me provient de mémoires karmiques, de mon karma?

- *Le doute provient de votre incarnation pré-*

71

sente. Vous avez choisi d'être ainsi.

- J'ai aussi choisi de m'améliorer, n'est-ce pas?

- *Nous l'affirmons. Les véhicules terrestres sont majorité (majoritairement) comme vous. Beaucoup de... plus de doutes.*

Le premier côté de la cassette étant terminé, je la change manuellement de face tout en expliquant à l'Entité que nous utilisons cet appareil pour enregistrer nos conversations afin de les ré-écouter plus tard.

- *Nous le permettons.*

J'ai momentanément perdu le fil de la conversation et je demande, confusément confus (ça veut dire très, très confus...), quel était le sujet dont nous parlions.

- *Le sujet abordé était le doute.*

- Ah oui! Le doute...

J'entreprends de démontrer à l'Entité que le monde dans lequel nous vivons, avec toutes ses restrictions et ses limitations, nous cache beaucoup la Lumière et engendre ainsi le doute. Les essais manqués, alors que nous étions sûrs de connaître la réussite et...

- *Nous le répétons. L'incarnation choisie dans cette sorte de véhicule est liée au doute. Il s'agit*

72

d'une maladie contagieuse. (amusée...)

- Quelle est la meilleure façon de guérir cette maladie contagieuse?

- *Il nous semble que l'appareil que vous utilisez vous sera très utile.* (le ton est taquin).

- Nous ré-écouterons les enregistrements.

J'ai envie de pleurer. L'Entité devine «sans doute» mon désarroi car elle enchaîne avec l'explication suivante:

- *Nous le répétons, écoutez vos voix intérieures. Vous devez..., il s'agit de votre... il s'agit de votre carte routière.*

Soudainement amusé, je trouve la comparaison très à propos et en fait part à l'Entité.

- *Nous vous remercions.*

J'ajoute que je suis impressionné par la vitesse d'apprentissage de l'Entité. L'effort pour trouver des expressions imagées est vraiment apprécié.

- *Il nous semble être beaucoup plus à l'aise dans le véhicule.*

- Y a-t-il des exercices que vous souhaiteriez essayer avec le véhicule?

- *Nous sommes satisfaits pour l'instant.*

- Est-ce que la forme Thébarra est bien?

- *Thébarra est entre nos mains, mais nous devrons quitter bientôt. Il semble y avoir eu un... un brisure... un léger* (le mot bris est suggéré et retenu) *bris au niveau de la couronne.*

- Pouvez-vous réparer, s'il-vous-plaît?

- *Nous l'affirmons. Vous pouvez poursuivre un peu.*

- Pouvons-nous compter vous recevoir encore demain soir?

- *Nous l'affirmons. Thébarra choisit l'instant de nous ouvrir les portes de son... de son véhicule.*

- Pouvons-nous inviter d'autres personnes à assister à vos messages ou y a-t-il des personnes que vous pourriez nous suggérer d'inviter?

- *Nous avons beaucoup de personnes mais nous ne croyons pas que vous en reconnaîtrez les vibrations.*

- Pouvez-vous associer des noms à leurs vibrations?

- *Nous le pourrons.*

74

- Pourrez-vous lors d'une prochaine visite nous fournir des noms de gens pour que nous puissions les inviter?

L'Entité me retourne la balle:

- *Pouvez-vous nous fournir vos noms afin que nous puissions vérifier l'intérêt des véhicules?*

Je fournis le nom d'un de nos amis. L'Entité demande plus d'informations. Je donne alors l'âge de mon copain ainsi que son lieu de domicile.

- *Nous avons trouvé Georges dans les mémoires de Thébarra, est-il possible?*

- C'est exact.

- *Nous autorisons.*

- Est-il aussi possible d'inviter le fils de Thébarra?

- *Nous vous suggérons l'attente. Nous devrons quitter bientôt. Nous désirons boire.*

Je satisfais au désir de l'Entité en lui tendant le verre et en l'aidant un petit peu, par simple précaution. J'ignore comment l'Entité réagirait à un renversement accidentel, mais je sais d'avance comment Danielle me rendrait presque sourd par son cri de surprise et je ne me sens pas plus prêt qu'elle à subir une douche froide.

- Nous prenons la position de l'arrivée. Nous vous saluons.

Je demande à l'Entité d'effectuer les réparations avant de quitter, non pas parce que j'ai peur qu'elle oublie, mais plus par respect pour Danielle et des procédures protocolaires que je devine nécessaires. Je remarque que je fais beaucoup de choses de manière intuitive lors de ces séances de channelling et je crois que c'est bien ainsi. L'Entité poursuit:

- Nous le ferons. Nous vous enveloppons de Lumière, Zémüra. Nous vous remercions et vous saluons.

Suite à ces paroles, l'Entité quitte le corps de Danielle qui, comme maintenant à l'accoutumée, revient frissonnante. Je pose ma main droite sur son coeur et ma main gauche dans son dos, également à la hauteur du coeur, imitant ainsi le geste dont j'ai été témoin la veille lors de la rencontre avec Gaby et son conjoint. Ces impositions des mains semblent apporter un grand réconfort à Danielle et c'est ce qu'elle me confirme par la suite. Lors de son voyage, Thébarra s'est rendue face à des portes dorées, lesquelles sont cependant demeurées fermées. Du moins pour cette fois...

Du coeur de la Terre jusqu'au Septième Ciel

Il est très important que tous les directeurs et directrices de transe gardent en tête qu'un de leur rôle premier consiste à être le plus possible enracinés à notre planète, la Terre-Mère.

Vous êtes attachés par des liens invisibles au médium que vous guidez. Pendant la transe, ses capacités d'enracinement sont très réduites, sinon nulles. L'élévation de son esprit est DIRECTEMENT proportionnelle à la profondeur de vos racines et de celles des personnes qui assistent à la rencontre.

Vous pouvez comparer le médium à un cerf-volant. Vous le retenez et le guidez un peu de la même façon. Il est important de bien sentir la «corde» qui vous relie au médium, car c'est en sentant bien celle-ci que vous pourrez permettre l'élévation de l'âme et lui assurer un bon retour. Que vous échappiez la corde ou que celle-ci se brise, le cerf-volant arrêtera son ascension et ira s'écraser au sol avec plus ou moins de dégâts. Ayez conscience qu'il en est exactement de même pour le médium que pour le cerf-volant. Un retour trop brutal, de l'un comme de l'autre, causera des bris et occasionnera des réparations. Dans le cas du médium, les bris se traduiront par une impression de déséquilibre émotionnel, une perte de confiance, et créeront en plus une crainte, fort indésirable pour son esprit. Le médium, pour bien s'élever, ne doit pas craindre.

Si vous consommez de l'alcool avant la rencontre, n'excédez pas une petite bouteille de bière ou un verre de vin. L'alcool aide à l'enracinement, à condition toutefois de ne pas dépasser cette quantité recommandée.

L'excès de cette prescription au niveau des consommations alcoolisées, ou l'absorption de drogue, a pour effet de réduire grandement vos capacités d'enracinement et attire les Entités de bas niveau vibratoire. Il en résulte un très grand danger pour le médium de canaliser ces Entités au lieu de celles souhaitées.

N'acceptez pas de gens ivres ou passablement éméchés, ou qui semblent drogués, lors des rencontres, pour les mêmes raisons ci-haut évoquées. Les Entités de bas niveau vibratoire seront dans les parages et risquent d'occuper la forme bien avant que n'arrivent les Entités de Lumière attendues ou d'obliger celles-ci à se frayer un chemin.

Il est important de mentionner à l'assistance que, si parmi eux, se trouvent des gens qui ne se sentent pas bien ou qui se sentent «partir» ou «décoller», de ne pas se sentir obligés de rester. De plus en plus de gens se découvrent des facultés de médium lors de ces rencontres. Un truc qui leur permettra de mieux rester «à terre» consiste à appliquer une forte pression avec les doigts sur les paumes des mains. Ils ne pourront toutefois pas rester une heure à faire ceci et ils doivent en être conscients. Lors de l'exécution des prières d'induction, demandez à l'assistance de ne pas visualiser la couleur verte, ni les autres couleurs qui suivront. Notez qu'il serait d'ailleurs préférable de faire ces prières en privé, juste avant le début de la rencontre, ou à tout le moins à voix basse si on ne peut pas faire autrement.

Mentionnez aussi à l'assistance de ne pas croiser les jambes et de poser les pieds bien à plat sur le sol et les mains à plat sur les cuisses. Cette façon de faire favorise l'enracinement collectif et aide à l'élévation de la forme et à l'arrivée des Entités de haut niveau vibratoire. Le plus souvent, inconsciemment, ils lient leurs racines aux vôtres.

C'est une des raisons qui fait, que lors de conférences où assistent trois ou quatre cent personnes, parfois même plus, on retrouve ce qu'on appelle des «piliers», lesquels ont une capacité d'enracinement supérieure à la moyenne.

Avant tout, n'oubliez pas directeurs et directrices, que plus vos racines et celles de l'assistance s'étireront vers le centre de la Terre-Mère, plus votre protégé(e) pourra s'approcher de la Source et ainsi être sous la protection de la Lumière.

Pour ce qui est d'atteindre le Septième Ciel, le médium vous en est quelque peu redevable. Ceci est dit sans arrière pensée, et n'en gonflez surtout pas votre ego. Pour que votre protégé(e) s'élève suffisamment vers la Lumière, vous devez, en plus d'avoir de très longues racines, avoir un esprit très ouvert à la Lumière et sentir les vibrations des Entités canalisées. Vous devez à la fois enfoncer vos racines vers le centre de la Terre et élever votre esprit vers le Tout-Puissant. Vous ne trouverez nulle part ailleurs un exercice d'étirement qui soit si intense. La situation vous demande en même temps de demeurer parfaitement conscient de tout ce qui se passe dans la salle et d'en avoir le plein contrôle. Je crois que le truc pour y arriver n'est pas de se forcer, de se concentrer, au contraire; il s'agit de s'abandonner aux vibrations tout en demeurant simplement conscient du rôle que nous avons à accomplir, et qui en fait, en est un de premier plan.

Lorsque j'étais jeune, mon père me disait, alors que je m'apprêtais à partir en moto sans casque de sécurité: «Pas de casque, pas de moto!» Suivant la même ligne de pensée que mon père, je n'hésite pas à vous énoncer que maintenant, pour nous c'est: «Pas de directeur, pas de transe!» Un médium, c'est aussi fragile que précieux.

Carnets de missions...

Je perçois que l'Entité est maintenant arrivée dans le corps et je lui adresse mes salutations:

- Nous vous saluons Guerriers de la Lumière.

- *Nous vous saluons Zémüra.*

J'informe le Visiteur que nous avons avec nous ce soir Tamüraj et Georges. Je débute les questions en demandant à l'Entité de fournir un bouclier de protection pour ce dernier suite à sa requête.

- *Nous vous le donnerons. Pouvons-nous enlever l'eau...?*

- Nous vous le permettons.

- *Nous vous remercions.*

- Nous vous disons bienvenue.

Je lui demande si elle désire boire.

- *Nous le nions.*

Encore ce soir, la voix est faible et lente. La physionomie est par contre assez rassurante. Je continue.

- Récemment nous vous avons demandé votre identité, serait-ce Les Guerriers de la Lumière?

- *Nous l'affirmons. Nous sommes les Guerriers de Lumière.*

J'avoue avoir relu mes notes et intérieurement je me trouve très fort d'avoir trouvé l'identité de notre Visiteur. C'est en jubilant que j'enchaîne:

- Avez-vous un prénom spécifique?

Je réalise tout à coup, dans un éclair, que ce nom de «Guerriers de Lumière» doit s'appliquer à une myriade d'Entités. Je me sens soudainement moins fort et plus épais. J'en prends l'habitude...

- *Nous l'affirmons.*

- Quel est le vôtre? demandai-je, résolu à terminer ma connerie.

- *Le moment n'est pas venu.*

Ouch! Mon ego l'a encore eu en pleine face! Je prends de terribles mais grandioses leçons d'humilité.

Je m'informe si l'Entité peut nous donner le nom de son étoile d'origine tel que «promis» lors d'une transe précédente.

- *Le moment n'est pas encore venu. Nous devons vous apprendu (apprendre) les Enseignements.*

- C'est bien. Voulez-vous continuer?

- *Vous pouvez poursuivre.*

- Est-ce qu'il fait partie de nos Enseignements de connaître combien il y a de Guerriers de Lumière pour nous défendre des ténèbres qui envahissent la Terre?

- *Nous le nions.*

- Est-ce que la forme Thébarra est bien?

- *Nous l'affirmons.*

L'Entité est très peu loquace ce soir. Nous avons peu de questions auxquelles nous avons eu réponse.

- *Pouvons-nous boire?*

L'Entité demande à boire plus souvent ce soir. Il ne s'est écoulé environ que dix minutes entre ses deux demandes.

- Georges aimerait connaître un peu plus son plan de vie. Serait-il possible d'en savoir plus à ce sujet?

83

- Nous devons vous... Les Enseignements...
Nos Enseignements sont notre venue et pour
vous parler de nos Enseignements. Le véhicule
(Georges) doit effectuer les entretiens des autres
véhicules. Il doit réparer les enveloppes. Lors-
que les enveloppes seront réparées, il pourra
se faire ainsi une ouverture du canal de Lu-
mière. Vos véhicules doivent être en bonne
fonction pour pouvoir vous ouvrir à la Lumière.
Les véhicules, lorsque l'enveloppe fonctionne
bien, auront la bonne capacité pour recevoir les
Enseignements. Il est pour vous important de
bien fonctionner dans votre véhicule pour bien
pouvoir envelopper et projeter la Lumière.
Vous pouvez poursuivre.

- Fait-il aussi partie du plan de vie de Georges
d'utiliser le Reiki pour guérir?

- Dans son plan de vie, il est écrit, il est choisi
qu'il doit guérir les enveloppes. Il apparaît tout
de même qu'il peut aussi faire la guérison de
l'esprit. Il faut tout de même qu'il mette en
premier lieu la guérison de l'enveloppe.

- Nous vous remercions.

- De cette façon, il aidera aussi beaucoup pour
les Enseignements. Lorsque les enveloppes
sont beaucoup fonctionnelles, le canal peut
ainsi beaucoup mieux s'ouvrir. Vous pouvez
poursuivre.

J'entreprends le sujet de la non-guerre et émet

84

le ouï-dire que celle-ci avait été déclenchée. Est-ce exact?»

- *Nous l'affirmons.*

- Pouvez-vous nous informer de la portée actuelle de cette non-guerre?

- *Pouvez-vous expliquer «portée»?*

- Impact.

- *Expliquez...*

- Pouvez-vous nous informer de l'ampleur de cette non-guerre à date?

- *Il s'agit d'une débutation (d'un début). Il apparaît cependant que les ténèbres ne trouvent pas ça beaucoup facile aussi qu'ils pensaient,* explique l'Entité d'un ton plus enjoué.

- Ils ne pensaient pas que la Lumière était aussi prête?

- *Nous l'affirmons.*

- C'est très bien ainsi je crois.

- *Nous l'affirmons.*

Je m'inquiète à savoir si la grosse boule de ténèbres que nous côtoyons ici à Bromont a été affectée, si elle s'est fait envelopper de Lumière. Ce à quoi l'Entité répond:

- *Pourquoi croyez-vous que nous avons choisi Thébarra?*

- Parce qu'elle demeure à Bromont?

- *Nous l'affirmons.*

Je suis un peu secoué par la réponse. Je ne m'attendais pas à celle-ci. Le Visiteur poursuit:

- *Pouvons-nous explorer?*

Ça y est le spectacle va commencer! Je pousse le microphone hors de portée et enlève tout ce qui pourrait être accroché ou renversé lors d'un décollage en trombe.

Étant rassuré sur la sécurité des lieux, je lui donne le feu vert. L'Entité commence par se passer les doigts dans les cheveux.

- *Attachés?*

Je lui réponds que oui et que cela nous amuse beaucoup de la regarder explorer. Elle semble s'en ficher complètement que ça nous amuse ou pas. Après quelques minutes, elle déclare, visiblement satisfaite de son exploration:

- *Vous pouvez poursuivre.*

Je demande à l'Entité ce qu'elle pense de ces

86

écrits que je fais à partir des cassettes. Je désire savoir si ceux-ci rendent bien les messages qui nous sont donnés. L'Entité cherche pour trouver les textes dans les mémoires de Thébarra et conclut:

- *Il devrait y avoir un Enseignement qui suit à côté.*

- De quelle façon? Pouvez-vous nous expliquer?

- *Il s'agit d'un raconté des histoires. Il faudrait écrire les Enseignements.*

- Les Enseignements que Thébarra peut nous donner, est-ce exact?

- *Nous l'affirmons.*

J'explique alors à l'Entité que nous projetons aussi de faire des écrits des Enseignements de Thébarra et que les présents textes ne sont que des textes de base servant à faire connaître aux gens les péripéties par lesquelles peuvent passer les nouveaux médiums et leur directeur de transes. Ces écrits ont aussi pour but de faire connaître les Guerriers de la Lumière. L'Entité répond:

- *Vous devez surtout prop... propandre... propager la Lumière. Vous devez vous centrer... concentrer sur la propagation du canalisation de Lumière.*

87

Je propose un écrit sur la canalisation de Lumière. Le Visiteur confirme:

- *Il doit y avoir deux écrits.*

- Il y aura deux écrits.

- *Nous vous remercions.*

J'explique qu'il y aura un écrit sur la pratique des séances telles que nous les vivons et un autre réservé aux Enseignements de Thébarra. Cette explication semble plaire à l'Entité qui répond:

- *Cela est bien.*

- Nous vous remercions.

J'enchaîne avec un autre sujet:

- Y a-t-il d'autres orientations que nous devrions prendre et que nous ignorons?

- *Vous avez été choisis pour répandre nos Enseignements. Vous avez été choisis par la Lumière du Tout-Puissant. Vous devez enseigner. Pouvons-nous boire?*

Je fais boire le Visiteur qui, comme d'habitude n'oublie pas de me remercier. Je lui ré-affirme qu'il est le bienvenu. Je m'enquiers ensuite si Georges est aussi un Guerrier de la Lumière.

- *Nous l'affirmons.*

- Et son rôle est de soigner les enveloppes...

- *Il faut... il faut toujours que les enveloppes soient soignées. Les enveloppes sont importantes pour le bon fonction (fonctionnement) du véhicule. Il s'agit d'une route que vous devez suivre.*

- C'est très bien, nous vous remercions.

- *Il est très beaucoup important que le véhicule ici poursuite... poursuive ses fonctions. Nous l'affirmons. Il s'agit d'une fonction première. Si les enveloppes ne fonctionnent pas, les véhicules ne peuvent pas s'ouverture (le terme s'ouvrir est suggéré et retenu) à la Lumière. Nous croyons être beaucoup mieux facile pour l'exprimer.*

J'avoue que ça s'améliore beaucoup. De toute façon, l'important est de comprendre les messages qui nous sont destinés, pas de critiquer les expressions, même si celles-ci sont souvent amusantes. L'Entité nous remercie de cette appréciation et nous enjoint de poursuivre encore un peu.

Voyant que les doigts caressent le front, je demande si l'Entité sent des «fourmis» sur celui-ci, certain qu'elle va comprendre l'allusion.

89

- *Nous cherchons,* répond-elle en jouant avec les cheveux qu'elle semble apprécier.

Je poursuis avec une question:

- Est-ce que Georges peut poser des questions?

- *Nous le permettons.*

Depuis quelques instants, Georges se faisait aller les bras comme s'il voulait poser une question. Maintenant qu'il a la parole, je le vois blanchir dans la pénombre de la pièce. Pauvre lui, je l'ai vraiment pris au dépourvu. Il finit par me faire comprendre, toujours par gestes, qu'il n'a absolument rien à dire. L'Entité prend alors la parole avec un sourire amusé:

- *Nous croyons que le véhicule est embarrassé...!*

- Exact! Que je réponds en riant de voir le visage de mon ami tourner au cramoisi.

Pauvre Georges! Si j'avais su, je lui aurais sûrement cédé la parole avant ça et plus souvent! Heureusement qu'il a le sens de l'humour.

J'offre la parole à Tamüraj qui n'avait pas pensé à préparer de questions et qui n'en a pas pour l'instant. L'Entité me demande de poursuivre.

Je commence à élaborer une question au sujet de la raison de la venue de l'Entité lorsque celle-ci coupe court à mon élan oratoire:

- *Le véhicule est pour nous une façon de pouvoir vous enseigner. Nous avons pris cette chemin (voie) pour nous faire comprendre à vous.*

- Désirez-vous utiliser davantage le véhicule, pour marcher par exemple?

- *Il n'est pas nécessaire. Croyez-vous que pour nous cela est important?*

- Y a-t-il d'autres enseignements dont vous voudriez nous faire part?

- *Comme à notre habitude, nous laisserons des traîneries et Thébarra poursuit un gros enseignement beaucoup profond. Nous croyons que déjà les Enseignements sont sortis de son véhicule.*

Je confirme qu'en effet, Thébarra a débuté la transmission de son nouveau savoir. Elle parle, parle, parle beaucoup. Pas souvent, mais beaucoup à la fois. J'émets le souhait qu'elle puisse se rappeler de tout cet Enseignement et le répéter, car le magnétophone n'était pas branché et le flot de paroles beaucoup trop rapide pour que je puisse prendre des notes. L'Entité me rassure:

- Thébarra répétera cet Enseignement les fois...
toutes les fois où les autres véhicules en auront
besoin. La profondeur reste la même. Il y aura
peut-être des mots changés.

Nous devrons quitter bientôt. Nous vous per-
mettons de poursuivre un peu.

Je pose une question à propos du Temps.

- Le Temps est éternité. Dans vos question-
nements sur le Temps, il peut être beaucoup
long pour vous et beaucoup court pour nous.
Dans votre espace-temps, vous aurez un gros
travaillé (travail) *pour plusieurs mois.*

- Recevrons-nous les informations de Thébarra pour faire ce travail?

- Nous l'affirmons.

- Avons-nous à demander ces informations?

- Vous demandez... ne demandez pas, vous
laissez sortir. Nous devons quitter.

- Pouvons-nous vous demander, avant de
quitter, de faire comme à l'accoutumée le
nettoyage du véhicule?

- Nous l'affirmons. Nous reprendrons la posi-
tion d'arrivée à notre partir (départ). *Nous vous*
saluons véhicules... et Zémüra.

J'entreprends le récit de la finale des prières de protection et Danielle revient à elle. Je place mes mains à l'avant et à l'arrière de son corps à la hauteur du coeur. Plus tard, quand nous partageons, elle affirme être encore allée suivre d'autres Enseignements dont elle ne se souvient pas pour l'instant, si ce n'est un flash par-ci par-là, trop fugace pour qu'elle puisse l'identifier.

Pour la protection du médium.

Les directeurs et directrices de transe, ou rencontre, ne doivent jamais oublier que l'Entité canalisée par le médium peut ne pas être habituée à s'occuper d'un corps humain et peut donc ne pas être très familière avec les divers aspects et besoins physiologiques de celui-ci.

Comme avant de partir en voyage, le médium devrait aller faire son tour au petit coin avant de débuter la transe. Non pas que j'aie déjà entendu parler d'un accident en cours de route, mais vaudrait mieux prévenir. J'ai personnellement eu une crainte en ce sens lorsque les Guerriers de Lumière m'ont dit qu'ils cherchaient un moyen d'évacuer l'excédent d'eau de la forme autrement qu'en la laissant sortir par les yeux. Leur arrivée provoque une surcharge énergétique dans le corps, laquelle se traduit par une grande évaporation de l'eau contenue dans celui-ci. Je suis content qu'ils aient choisi la sudation. Je crois qu'ils ont passablement cherché la façon de faire transpirer le corps. Ils l'ont trouvée, et moi aussi! Ils continuent tout de même à évacuer l'eau par les yeux de temps à autre. Les yeux sont les organes du corps humain qui contiennent le plus d'eau et ils sont, de surcroît, très fragiles. «Nos» Entités semblent privilégier ce moyen car il s'agit aussi, selon leur avis, d'une mesure de protection pour éviter d'endommager ceux-ci.

Du point de vue de la respiration, je n'ai pas vécu de problèmes de ce côté. Le corps de Danielle s'oxygène convenablement pendant les rencontres. Ce n'est que pendant l'échange, au départ des Guerriers de Lumière et à l'arrivée de Danielle dans son corps, qu'il semble y avoir un arrêt respiratoire momentané. Bien que ceci ne soit pas inquiétant outre mesure, j'espère seulement qu'ils ne s'arrêteront pas sur le seuil pour bavarder une petite demi-heure. L'imposition des mains à l'avant et à l'arrière du thorax, à la hauteur du coeur, facilite le retour à une respiration normale.

Il se peut que le ou la médium ressente de la douleur aux hanches au retour de la transe, surtout si le sujet est allongé pendant celle-ci. L'idéal est la position assise pendant les rencontres, bien que cela ne soit pas possible pour tous les médiums, car dans les cas de transes dites inanimées, le sujet demeure allongé. Si la transe est animée, c'est-à-dire que les bras et les jambes veulent bouger, alors la position assise est grandement recommandée. N'ayez aucune crainte de tomber, cela n'arrivera pas. Il est cependant important d'être confortablement installé(e) dans un bon fauteuil ou une bonne chaise dans le but d'éviter l'ankylose au retour.

Des techniques de massage existent pour éliminer les douleurs aux hanches, présentes même si minimisées par la position assise, ainsi que pour soulager les autres malaises musculaires ou névralgiques que nous pourrions identifier comme étant la contrepartie de la beauté de la canalisation par transe profonde.

Ne soyez pas craintifs. Ces conseils ne vous sont donnés que pour vous faciliter la vie. Si Dieu Tout-Puissant vous a choisi pour répandre ses Enseignements dans un domaine particulier, Il veillera sur votre confort et votre santé, n'en doutez en aucun temps. Croyez-vous qu'Il est de ceux qui négligent leurs outils?

Lorsque nous acceptons de servir la Source, nous devenons outils de Celle-ci et nous sommes dès lors protégés, tout en demeurant libres cependant.

Attachez vos ceintures !

Pour cette transe, nous n'avons pas d'invité. Celle-ci se déroule dans mon bureau, et nous pourrions dire que cet appartement devient le lieu de rencontre officiel. Je vérifie et re-vérifie le bon fonctionnement du magnétophone. Danielle insiste pour que je m'assure que la cassette que nous allons utiliser est vierge. J'effectue cette vérification et tout est «O.K.». Nous sommes prêts. Nous nous recueillons et je débute les prières protectrices d'induction. La mise en transe est rapide et facile.

- Nous vous saluons Entité.

- *Nous sommes les Guerriers de Lumière. Il a été décidé que pour maintenant et les prochaines visites, nos Enseignements seront dits par Uriel.*

Cette nouvelle soudaine me surprend tellement que je demande une confirmation du nom que j'ai cru entendre. Je demande s'il s'agit bien de Uriel.

- *Nous l'affirmons.*

Je demande l'orthographe:

- *Les signes sont : U - rair (R) - I - E - L.*

- Nous vous remercions.

- Il y aura maintenant un changement, possiblement dans notre façon d'émettre des paroles puisque maintenant le porte-parole a été choisi. Nous sommes maintenant plus facile de donner les Enseignements. Le choix est maintenant fait. Votre demande a été accordée.

- Nous vous en sommes reconnaissants.

Je lui offre à boire.

- Nous le nions. Vous pouvez tout de même vous adresser à nous avec le terme de Guerriers de Lumière.

- Préférez-vous que nous utilisions ce nom plutôt qu'Uriel?

- Il nous est égal. Vous nous avez demandé à plusieurs reprises un nom pour les vibrations. Faites ainsi de votre choix.

- C'est très bien, nous vous remercions.

La voix est claire et posée. La diction est parfaite. Bien qu'il y ait de légères confusions, très occasionnelles, dans les expressions ou le choix des mots, il y a une amélioration que j'évaluerais à deux cents pourcent. Même le débit est normal et j'en suis très agréablement étonné.

- Pouvons-nous enlever l'eau des yeux?

- Bien sûr, faites.

- *Nous vous remercions.*

- Nous vous disons bienvenue.

- *Vous pouvez maintenant poursuivre.*

J'avais précédemment demandé des informations sur l'Archange Michaël (aussi connu sous le nom de St-Michel Archange) et obtenu une réponse négative quant au rôle de Commandeur de celui-ci. J'aborde cette fois ma question différemment en demandant à Uriel si les Guerriers de la Lumière sont sous la protection de l'Archange St-Michel.

- *Nous l'affirmons,* m'interrompt-il.

Je devine dans le ton, que si j'avais posé ma question de cette façon la première fois, c'est cette réponse que j'aurais obtenue. Je deviens conscient que je devrai porter une attention toute particulière à la formulation de mes questions. Je continue:

- Nous savons que nous avons à recevoir et propager la Lumière par les Enseignements de Thébarra...

- *Nous l'affirmons...*

- Y aura-t-il plusieurs façons de propager cet Enseignement?

101

- *Il apparaît que nous avons choisi ce type de véhicule pour les multiples façons que vous avez de vous exprimer. Vous avez des sens. Vous avez des principaux sens. Vous devez utiliser les yeux terrestres. Vous devez aussi utiliser les oreilles. Nous croyons que les oreilles et la voix vont ensemble.*

Je confirme cet énoncé d'Uriel et lui demande de sonder les mémoires de Thébarra pour savoir si les cassettes audio-vidéo du genre «Implosion»[4] pourraient être un moyen de communiquer ces Enseignements.

- *Nous avons déjà donné réponse à cette question par les Enseignements que nous avons laissé à Thébarra. Dans la première partie des Enseignements, Thébarra connaît maintenant ce que ce type de transmetteur apporte.*

- Donc Thébarra pourra nous guider dans le choix des moyens de transmission à utiliser. Y aura-t-il d'autres moyens à utiliser pour propager la Lumière?

- *Votre premier rôle principal est d'enseigner aux gens l'utilisation de la Lumière. Vous devez enseigner en utilisant les sens des véhicules mais vous devez aussi être Porteurs de Lumière.*

---

4 *Implosion* est une vidéo-cassette, qui permet, par le défilement de formes et de couleurs, d'équilibrer et d'énergiser les différents chakras (centres énergétiques)

- Nous aurons à travailler cet aspect, n'est-ce pas?

- *Pour vous Zémüra, nous croyons qu'il est très facile pour vous puisque déjà vous utilisez la Lumière du Tout-Puissant. Vous n'avez qu'à continuer à le travailler de façon avec la conscience.*

- Utiliser la Lumière de façon consciente?

- *Nous l'affirmons.*

- Et cela se fera avec de l'entraînement?

- *Nous l'affirmons.*

- Plus on en fait et plus on devient habile à le faire, est-ce exact?

- *Correction. Plus vous en faites et plus votre facilité à canaliser est grande.*

- Est-ce que je peux utiliser la Lumière pour guérir les gens, les véhicules, par l'imposition des mains?

- *Ne croyez-vous donc pas à l'Enseignement que vous avez suivi?*

Je tente d'expliquer à Uriel que l'enseignement que j'ai reçu en Reiki est excellent mais que j'avais... je sens que j'avais déjà le pouvoir de guérir avec mes mains.

103

- Est-ce correct, exact ?

- *Il nous semble que c'est un peu embarrassé dans vos explications!*

- J'avoue que je cherche des mots et qu'ils ne viennent pas. J'utilisais le pouvoir de la Lumière pour guérir avec mes mains avant de suivre cette formation en Reiki et ça marchait. Je me demande si je dois m'en tenir à la technique enseignée lors du cours de Reiki ou si je dois me fier à mon intuition. Voilà.

Ça a pris du temps à l'exprimer mais j'espère que c'est compréhensible cette fois.

- *Nous croyons, Zémüra, nous croyons devoir vous dire encore d'écouter vos voix intérieures. Vous aviez depuis longtemps choisi cette façon d'aider les autres véhicules tout comme vous avez choisi de vivre dans ce type de véhicule afin de pouvoir terminer ce qui a été interrompu par accident dans votre dernière incarnation avec Thébarra.*

Je sens mes yeux devenir plus grands que mes lunettes. J'ai très bien entendu tout ce qui a été dit, j'en suis sûr, mais je redemande cependant confirmation de cette existence dans une vie antérieure avec Thébarra.

- *Nous l'affirmons.*

- Étions-nous conjoints dans cette autre vie?

- *Nous l'affirmons.*

- Donc, c'est la deuxième incarnation consécutive que nous vivons ensemble?

- *Des parties seulement.*

- Des parties seulement!!!?????? Que voulez-vous dire?

- *Il semblerait qu'à votre dernière incarnation, Zémüra, vous aviez d'autres préoccupations que la rencontre de l'âme soeur. Vous vous êtes, disons-le, marié sur le tard!*

- J'étais donc plutôt âgé, n'est-ce pas?

- *Nous affirmons que plusieurs véhicules se rencontrent plus tôt. Il était tout de même écrit, vous aviez choisi ce plan de vie.*

J'aimerais en savoir plus sur cette vie précédente qui s'est terminée par accident mais je veux d'abord savoir si cela m'est permis de demander à Uriel de me raconter car je ne suis pas sûr que ce soit la raison de leurs visites. Effectivement:

- *Nous pourrions élaborer sur ce sujet, cependant notre rôle n'est pas celui-là.*

- Nous comprenons.

- *Nous croyons que vous voulez savoir sur le passé.*

- Le passé éclaire souvent l'avenir... (je me surprends à philosopher!)

- *Nous pourrions vous en dire un peu plus quoique nous pensions qu'il est préférable que vous fassiez du travail sur ce sujet. Pouvons-nous boire?*

Je donne le verre à Uriel sans le soutenir car il semble avoir atteint une maîtrise complète de l'utilisation du corps de Danielle. L'évolution rapide et exacte du vocabulaire, la vitesse de débit des paroles, les gestes accompagnant celles-ci sont tous des facteurs qui me permettent de ne pas craindre de renversement. Le seul renversement qui peut se produire au train où c'est parti, c'est moi en bas de ma chaise. Il amène lentement mais sans hésitation le verre aux lèvres et boit sans peine. Il me redonne le verre avec autant de précision dans les gestes. C'est vraiment étonnant.

- *Nous vous remercions.*

- Nous vous disons bienvenue.

- *Nous pouvons tout de même vous rassurer en vous disant que vous étiez au service des autres véhicules. Vous travailliez pour le gouverne-*

ment. Thébarra, quant à elle, soignait les enveloppes.

- Thébarra était médecin?

- *Nous le croyons. Les termes ne sont pas très clairs encore pour nous quoique maintenant plus faciles à utiliser puisqu'il a été choisi qu'Uriel parle pour nous.*

- C'est très bien ainsi. Uriel s'exprime très bien.

- *Vous pouvez poursuivre.*

J'oriente maintenant la conversation sur les boucliers de protection, sur lesquels nous aimerions avoir plus d'informations.

- Suffit-il de prononcer le nom de notre bouclier de protection pour que celui-ci s'active?

- *L'utilisation de votre bouclier de protection par la prononciation des vibrations que nous vous avons données appelle sur vous la protection des Guerriers de Lumière. Il s'agit d'un S.O.S.*

- Nous ne devons donc pas utiliser ce nom pour rien...?

- *Nous le nions. Nous croyons que vous avez un manque de compréhension. Vous pouvez employer votre bouclier de protection. Vous en avez besoin pour projeter la Lumière. Il est préférable que vous l'utilisiez de façon régulière. Lorsque vous vous donnez à vous le nom de protection et que vous appelez la Lumière, c'est à ce moment que cela devient le S.O.S. Mmmmm... Vous n'avez pas compris...*

Je me demande comment Uriel a su que je n'avais pas très bien compris son explication mais j'avoue, qu'effectivement ce n'est pas très clair. Même pas clair un peu.

- Votre nom de bouclier vous sert à vous envelopper de Lumière, d'Amour, vous aide à projeter tel que nous devons vous l'enseigner. Lorsque vous dites dans vos pensées: «Zémüra veut s'entourer de Lumière», vous créez ainsi l'appel aux Guerriers de Lumière.

- Je comprends, du moins ai-je l'air de comprendre?

- Nous croyons. Lorsque vous utilisez vous-même votre nom de protection, vous nous appelez. Lorsque les autres véhicules vous nomment par votre bouclier, ils aspirent votre Lumière, ils prennent une bouffée, une aspiration, une..., lorsqu'ils prononcent votre nom de bouclier ils s'enveloppent de Lumière eux aussi. Mais lorsque le véhicule utilise son bouclier lui-même, il appelle les Guerriers de Lumière. Sont-ils attachés?

Depuis quelques secondes, Uriel se passe les mains sur la figure, le front, et les cheveux. D'où cette question inattendue. Je lui confirme que les cheveux sont attachés. Il cherche où ils sont attachés et je lui indique qu'ils sont attachés à l'arrière et qu'on appelle ça une «queue de cheval».

- *Nous vous remercions. Vous pouvez poursuivre,* déclare-t-il d'un air satisfait. Il semble apprécier que les cheveux soient attachés.

- *Pouvons-nous enlever les petits fils un peu?*

- Mais oui !

- *Pouvez-vous nous aider?*

La ton de la voix est doux comme une voix d'enfant qui demande de faire ouvrir son sac de croustilles ou à faire déballer son «Pop Sicle». Je me sens soudain une tendresse toute paternelle pour Uriel. C'est vraiment spécial.

- Enlever les petits fils... enlever les cheveux? demandai-je.

- *Nous l'affirmons.*

- Qui chatouillent où? Ici? Voyant qu'Uriel tente de déplacer le toupet (la frange), je repousse celui-ci vers le sommet de la tête.

- *Euh... Nous vous remercions.* dit-il satisfait.

Je passe à la question suivante que je qualifie de très importante car j'ai été mis en garde plusieurs fois... Uriel m'interrompt:

- *Nous l'affirmons.*

Je poursuis. La personne qui a un penchant pour les ténèbres a téléphoné ici tout à l'heure parce qu'elle veut venir ici en fin de semaine. Uriel m'interrompt encore:

- *Nous nous souvenons de «téléphone»!*

Je ris et continue.

- Elle désire venir passer une journée avec nous. Est-ce une bonne idée?

- *Lorsqu'un transmetteur de Lumière est en contact avec un véhicule de ténèbres et qu'il est d'avance averti, il n'y a aucun danger pour la Lumière mais plutôt pour les ténèbres.*

- Nous vous remercions. Mais n'y a-t-il pas danger que ce véhicule de ténèbres rassemble des informations qu'il pourrait ensuite utiliser contre la Lumière ou nous, Porteurs de Lumière?

- *Un homme averti en vaut deux!* s'exclame Uriel en riant, visiblement très content d'avoir déniché cette expression.

- Donc si je comprends bien, nous ne devons pas laisser traîner des choses dont il pourrait se servir contre nous?

- *Quels sont les types de «traînées»?*

Je me retiens pour ne pas rouler par terre, et ramassant mes esprits, j'explique à Uriel qu'il s'agit des lampions, de l'encens, et aussi des écrits. Ce à quoi il répond:

- *Nous croyons que pour les écrits, il est préférable et pour les paroles aussi. Mais n'éteignez surtout pas vos lumières* (lampions). *Ceci n'est pas une obligation, quoique préférable pour vous aider à garder votre euh..., votre..., votre couverture..., votre habitation pure, claire. L'utilisation de les vapeurs de fumée* (encens) *sont aussi très bonnes. Nous ne croyons pas qu'un type de véhicule comme le petit pourra tirer des conclusions à ce sujet quoique soyez très prudents avec les paroles et nous nous adressons particulièrement à vous Zémüra, soyez prudents. Pourquoi ne pas tout simplement parler de la pluie et du beau temps?*

- C'est bien, nous le ferons. C'est ce que je ferai.

- *Soyez tout de même certain de vous protéger. Il semblerait que sur ce véhicule, les ténèbres aient de plus en plus de difficultés à garder leur prise... leur emprise. Quoique nous croyons que les ténèbres, et nous le savons, ne veulent pas laisser aller un disciple sans raison, aussi croyons-nous qu'ils travaillent très fort à le garder parmi eux.*

Et continuez surtout à vous entourer de Lumière et surtout, n'allez pas couper le lien avec votre âme soeur. L'Amour du Tout-Puissant qui vous soutient vous permet ainsi de mieux projeter la Lumière et de mieux vous protéger. Pouvons-nous boire?

De nouveau, je suis ébahi des progrès réalisés par Uriel et je lui fais remarquer.

- Nous vous avons indiqué la raison du changement. Il s'agit maintenant du même porte-parole. Vous pourriez peut-être vous imager que quelques-uns parmi nous ont essayé de vivre une petite expérience. Il est apparu qu'un choix devait être fait.

- Donc plusieurs Entités de votre groupe de Guerriers de la Lumière ont essayé le véhicule et vous avez retenu les services du meilleur pilote!

- Il a été choisi parmi nous, je crois que vous diriez l'âme, qui serait le mieux à l'aise à l'intérieur de ce véhicule, quoiqu'il ne s'agisse pas d'une âme, mais pour vous imaginer, nous utilisons ce terme, ou peut-être plutôt Entité. Disons que quelques-uns ont voulu

tenter l'expérience et vous diriez qu'Uriel a été le plus habile.

J'ai saisi une belle question «sur le fly», pour employer une expression typiquement québécoise, pendant qu'Uriel parlait, et je la pose immédiatement pendant que le fer est encore chaud et avant de l'oublier. La voici:

- Pourriez-vous nous expliquer la différence entre une âme et une entité?

- *La différence provient tout simplement de vous.*

- De nous !!???

- *Puisque pour vous une entité semblerait être... quelque chose qui est très haut et que l'âme appartient au véhicule. C'est ce que nous percevons dans les mémoires de Thébarra. L'entité semble provenir de... un endroit différent.*

- Et ce n'est pas le cas?

- *Nous l'affirmons.*

- Ils viennent donc du même endroit?

- *Nous l'affirmons.*

- Nous vous remercions. Y a-t-il des exercices que nous pourrions pratiquer pour améliorer

113

notre pouvoir d'utilisation de la Lumière?

- Parlez-vous pour Zémüra ou vous parlez pour les véhicules en général?

- Il est plus urgent pour Zémüra, pour l'instant.

- Zémüra, vous êtes en apprentissage. Vous apprenez et vous canalisez déjà la Lumière du Tout-Puissant. Vous n'avez qu'à continuer sur la même... lancée?

Uriel, aimant utiliser de nouvelles expressions vérifie l'exactitude du mot employé. Je confirme, à son plaisir, qu'il s'agit du bon mot. Il poursuit sa réponse:

- Pour ce qui est des autres véhicules qui veulent, qui croient, et qui ont surtout besoin de Lumière, ils devront simplement suivre les Enseignements de Thébarra qui sont, nous le croyons, perçus de la bonne façon par Thébarra. À notre arrivée, nous avons la possibilité de regarder ses mémoires et nous savons que dans votre espace-temps, il y a peu de temps, Thébarra vous a fourni la preuve qu'elle avait reçu son Enseignement premier. Les véhicules devront suivre ces étapes d'Enseignements. Nous avons choisi ce type d'Enseignements parce que nous avons appris de votre façon d'évolution. La façon d'évolution des véhicules terrestres.

- Que connaissez-vous de nos moyens de communication et de transmission d'informations?

- Nous avons les connaissances de base puisque vous avez des moyens de communications de base.

Mon humilité en prend encore pour son rhume, mais j'imagine l'air des gars de la NASA et des fabricants de satellites s'ils savaient ça! J'entreprends cependant d'expliquer à Uriel que je ne pensais pas nécessairement à des moyens que nous voyons comme sophistiqués, mais plutôt aux livres. Il poursuit:

- Nous vous avons mentionné que vous deviez utiliser les yeux et les oreilles des autres véhicules. Or nous croyons que la voix est reliée avec les oreilles et que vos écrits sont reliés avec les yeux.

- Et il peut aussi y avoir des combinaisons des deux?

- Nous l'affirmons.

- Nous vous remercions.

- Nous pouvons vous affirmer que ce que vous appelez le troisième oeil de Thébarra est très développé. Nous avons à quelques occasions des problèmes... des problèmes de perception de lumière.

115

Je saisis l'occasion pour apprendre à Uriel ma surprise et ma stupéfaction lorsque celui-ci avait demandé un peu moins de lumière lors d'une transe précédente alors que j'avais dû descendre la chandelle plus près du sol. Sur ce, il commente:

- Vous devez comprendre que lorsque nous utilisons le véhicule de Thébarra, nous prenons aussi..., nous prenons aussi..., nous prenons son véhicule, donc il y a certains inconforts que nous vivons. Ainsi pour Thébarra, ce que vous appelez le troisième oeil est très développé. Thébarra est très sensible aux lueurs, sensible à la lumière, aussi le percevons-nous, ce qui provoque aussi chez nous un inconfort.

Bon samaritain, je propose à Uriel de couvrir le troisième oeil. Il s'objecte:

- Nous croyons que cette ouverture aide Thébarra à nous laisser venir.

- Mais une fois que vous êtes entrés, ne pourrait-on pas fermer cette ouverture?

- Nous le nions. Nous devons utiliser le véhicule sans faire de changement.

J'explique à Uriel qu'il ne s'agit pas de modifier le corps de Thébarra, mais simplement de recouvrir le troisième oeil d'une pièce de tissu protecteur, d'un bandeau, qu'elle pourra retirer après la séance.

- Il serait peut-être bien d'essayer...

J'avise Uriel que dorénavant nous aurons avec nous un bandeau que nous essaierons au prochain besoin. Si un quelconque inconfort se manifestait, nous n'aurions qu'à le retirer. Thébarra n'en souffrira pas.

- Nous vous remercions.

Considérant que l'Entité n'a pas bu depuis un bon moment, je lui offre à boire.

- Nous le nions. Vous pouvez poursuivre encore un peu.

Je demande à Uriel s'il y aura dans quelques instants une concertation pour envelopper de Lumière les ténèbres qui entourent Bromont. Sa réponse enjouée m'étonne:

- Nous le nions car ceci est déjà commencé! dit-il en riant.

- Quand nous avions demandé à Nürïr...

- Nürïr...! m'interrompt le Guerrier.

Le visage devient alors très doux, d'une douceur vraiment divine et un sourire tout plein d'Amour éclaire le visage de Thébarra. Surpris, mais non étonné, je questionne:

- Vous connaissez bien Nürïr, n'est-ce pas?

- Nous l'affirmons.

J'informe Uriel que nous avions demandé à Nürïr de contacter plusieurs véhicules pour organiser une concentration massive de Lumière pour aider les adolescents aux prises avec les ténèbres dans notre ville et les environs. Cette concertation devait avoir lieu durant la nuit, à minuit précisément. Uriel me coupe la parole:

- Un groupement de Lumière. Cela est fait. Cela se fait. Vous devrez très bientôt, à notre départ, vous devrez utiliser votre bouclier pour projeter. Nous vous aiderons. Nous sommes près de vous. Vous pouvez nous appeler. Nous vous aidons tout comme... nous vous aidons car vous nous aidez en nous laissant porter nos Enseignements. Il est bien que cela soit ainsi.

- Nous le croyons aussi.

J'explique à Uriel que nous avons besoin de leurs Enseignements car il nous faudrait plusieurs vies terrestres avant de réussir à en arriver à quelque chose... Comprenez-vous le sens de mes pensées?

- Nous comprenons, mais nous ne croyons pas exact. Car vous pouvez faire énormément vite lorsque vous êtes conscients de vos capacités. Vous devriez passer aux demandes importantes car nous devons bientôt partir.

118

J'informe notre Visiteur que nous avons pratiquement terminé avec nos questions et je lui avoue humblement que nous avons aussi beaucoup de difficultés avec le contrôle de notre conscience. Nous avons besoin de leur aide pour nous protéger avec la Lumière et parvenir à projeter Celle-ci consciemment. D'une voix très douce, Uriel répond:

- N'oubliez pas Zémüra que vous êtes très jeunes dans l'utilisation de la Lumière. Malgré votre jeunesse vous êtes très prometteurs. Nous vous remercions et nous devons quitter.

J'offre encore une fois à boire à Uriel, et encore une fois il refuse, puis je lui demande de faire le grand ménage dans le corps de Thébarra avant de partir. Je lui fais mes profonds et sincères remerciements et lui adresse mes salutations.

- Nous vous saluons Zémüra et nous vous enveloppons de Lumière. Croyez en nous, ayez la Foi, et ne doutez pas.

Les vibrations sont tellement élevées dans la pièce que j'oublie complètement de passer à la finale des prières de protection. Je sens comme une forte mais très douce étreinte «spirituelle d'Amour». Je ne trouve pas d'autres mots pour dire ce que je ressens, c'est trop profond, trop émouvant.

C'est toujours tremblante et grelottante de froid que Danielle réintègre son corps. Je me précipite et lui mets les mains au niveau du coeur, comme c'est maintenant l'habitude. Je crois qu'il n'y a aucune couverture qui puisse remplacer ce geste car en agissant ainsi, il suffit d'une vingtaine de secondes pour que cette sensation la quitte.

Elle est encore allée à l'École ce soir. Elle va finir par être très instruite cette petite, avec tous ces Enseignements!

Cause toujours...!

Les Entités sont très humoristiques et ce, dans tous les sens du terme. Elles sont souvent enjouées et taquines. Rien ne les amuse autant que de nous surprendre par leurs révélations qu'elles savent donner au moment où l'on s'y attend le moins.

Nous avons beau poser les mêmes questions de toutes les façons, elles ne nous répondront que si elles nous savent prêts à recevoir ces informations. Quelques fois, elles retardent un peu, histoire de nous faire languir.

Bien que je n'aie pas encore une très grande expérience dans ce domaine, je sais qu'elles évaluent nos questions avant d'y répondre. Elles en font autant pour les motifs qui nous poussent à poser celles-ci.

J'ai mis cependant beaucoup de temps à réaliser que j'apprenais souvent plus par leur refus à me répondre ou par leurs réponses évasives que si elles m'avaient donné la réponse tout de suite... Je conviens que ceci semble plutôt paradoxal, mais c'est pourtant bien réel.

Bien que mon contrôle sur mon ego soit très loin de la perfection, cette façon qu'elles ont de répondre m'a donné de sévères leçons d'humilité et m'a grandement aidé à améliorer cette facette de ma personnalité. J'apprends de plus

121

en plus à écouter et à me fier à mes si précieuses voix intérieures lorsque des questions me viennent à l'esprit ou que j'ai des choix à faire.

Les Entités détestent être prises pour des «machines à répondre aux questions» et pour ceux qui ne le croient pas, expérimentez, vous verrez! Chaque Entité ou groupe d'Entités de haut niveau vibratoire a une «mission» à remplir et qui lui est confiée par Dieu, la Source, ou le Tout-Puissant, peu importe le nom qu'on lui donne. Elles répondront très volontiers, et de façon très éloquente, à vos questions lorsque celles-ci correspondent à leur mission, mais elles se feront tirer l'oreille et iront même jusqu'à vous signifier l'impertinence d'une question telle que: «Puis-je porter mes souliers rouges avec ma robe bleue?» ou encore: «C'est quoi les numéros gagnants de la loterie de samedi prochain?»

Je n'ai jamais tenté de poser ces dernières questions. Si les questions posées regardent le plan de vie de l'individu, elles seront très heureuses d'aider votre âme à s'exprimer à votre conscient. Je crois estimer à sa juste valeur toute la chance qui nous est donnée de rencontrer ces Entités et de bénéficier de leurs Enseignements.

Le temps qu'elles accordent à répondre à nos interrogations est d'autant plus précieux qu'il est court. Sachez le mettre au bon endroit et évaluez la pertinence de vos questions.

Vous serez les premiers à profiter et à apprécier la profondeur, souvent subtile, des réponses obtenues.

Rapport d'événements.

Ce soir je décide d'imprimer les rapports de transes que j'ai corrigés aujourd'hui. Toutes les transes ont été revues, éditées, et sauvegardées sur une disquette neuve. Je place celle-ci dans un boîtier de plastique transparent clair, également neuf et expressément conçu pour cet usage. Dans mon bureau, je dépose le boîtier sur une tablette en coin. Il est environ dix-neuf heures.

Vers les vingt-trois heures, je décide de consacrer un peu de temps aux rapports de transes. En reprenant le boîtier, je sens comme une bosse sur celui-ci. Je regarde et j'aperçois effectivement un anneau ou plus exactement une espèce de bourrelet renflé, au centre duquel il y a un trou d'environ un seizième de pouce, légèrement ovale mais au contour bien uni.

Je pense d'abord à une brûlure de cigarette, mais il n'y aucune trace de noircissure nulle part. Cette hypothèse n'est donc pas plausible.

J'introduis la disquette dans le lecteur et j'entreprends d'imprimer les fichiers. Tout ce que l'imprimante me pond n'est qu'un fouillis de caractères indéchiffrables et désordonnés, puis elle s'arrête, refusant catégoriquement de continuer l'impression des documents.

J'ouvre le premier fichier pour en vérifier le contenu. Tout est correct jusqu'au milieu du document, où, suite à l'affichage d'une espèce de «A» tout croche, est reproduit un carré plein. Le reste du contenu que je retrouve est celui de la dernière moitié d'un autre document...!

J'essaie d'ouvrir le deuxième document. Le format du fichier est incompatible et il m'est impossible d'en voir le contenu.

Les autres documents par contre me semblent intacts. Je décide de copier cette disquette par mesure de précaution. Je ne tiens pas à perdre toutes les modifications que j'ai apportées cet après-midi. Lorsque l'ordinateur me demande d'insérer la disquette source dans le lecteur, j'exécute l'ordre. La copie commence normalement, mais j'obtiens soudainement un message m'indiquant une impossibilité de récupération d'information causée par une corruption de la disquette.

Je répare «manuellement» les fichiers endommagés et je sauvegarde le tout sur d'autres disquettes, puis les place en lieu sûr. Selon l'avis de quelques-uns de nos amis qui ont examiné le boîtier, celui-ci aurait été percé avec un rayon laser ou quelque chose d'analogue.

Les Entités, questionnées à ce sujet, affirment qu'il s'agit d'une attaque de l'ombre visant à détruire les «messages de Lumière» contenus sur la disquette. La façon dont ils s'y sont pris n'est pas claire mais quoiqu'il en soit, toutes les cassettes et les disquettes qui contiennent des informations importantes en rapport avec notre travail de Lumière sont à l'abri et gardées par des cristaux programmés à cette fin.

Opération nettoyage.

Danielle est physiquement très fatiguée ces jours-ci. Beaucoup de parasites s'accrochent à elle. Heureusement qu'il y a les transes, car à la fin de chacune de celles-ci, Uriel et les Guerriers de Lumière régénèrent et énergisent son corps. Le lendemain, elle se lève en pleine forme et toute pétillante. C'est pendant la journée qu'elle subit des attaques répétées et incessantes. Ces attaques l'épuisent et la minent. Elles ont pour but de l'écarter de la Lumière et leurs auteurs aimeraient bien qu'elle cesse toute activité reliée aux Enseignements, autant du point de vue de son propre apprentissage que de la propagation de celui-ci.

Ce soir, la mise en transe est, comme d'habitude, très facile. Cependant, la voix d'Uriel trahit une profonde fatigue physique. Il parle plus lentement et cherche ses mots plus fréquemment qu'à l'accoutumée:

- *Nous vous saluons Zémüra.*

- Nous vous saluons Uriel et les Guerriers de la Lumière.

Il ne semble vraiment pas dans son assiette... Il passe en revue les mémoires de Thébarra, semble inspecter son corps interne. Sa mine ne reflète pas la satisfaction habituelle. Il me semble que d'interminables minutes

129

s'écoulent avant qu'il ne reprenne la parole. Enfin.

- *Pouvons-nous boire?*

Je lui tends le verre et il s'en saisit avec lenteur. Il boit un peu et me redonne le contenant en me remerciant. Voyant qu'il se frotte le troisième oeil avec l'index et le majeur de la main droite, je crois que la lumière ambiante, quoique très faible, le gêne peut-être. Aussi, je lui offre le bandeau que je tiens désormais à portée de la main.

- *Nous le nions. Nous ne donnerons pas les Enseignements prévus. Nous devons répondre à l'interrogation de Thébarra. Nous vous avons déjà mentionné, Zémüra, que Thébarra pouvait faire des demandes en laissant dans ses mémoires... Vous avez compréhension?*

- Oui, je comprends...

En effet, durant les heures qui précèdent la rencontre, Thébarra peut mentalement se poser des questions et les mettre «sur le dessus de la pile», comme elle dit. À son arrivée, Uriel vérifie toujours les mémoires de Thébarra en priorité, et traite donc ces questions en premier. À ce sujet, je taquine souvent Thébarra en lui disant: «On sait bien..., c'est encore toi le chou-chou!»

- *Vous aurez un Enseignement ce... soir... peut-*

il? (Je confirme l'exactitude du mot soir.)... *Un Enseignement qui arrive un peu avant ce qui avait été décidé. Il s'agit pour vous d'un besoin et aussi pour Thébarra. Notre visite sera de courte durée et vous devrez, Zémüra, faire les écrits de notre visite en premier lieu. Vous avez compréhension?*

- Oui, oui, je comprends très bien.

Je ressens une vague inquiétude face à cette situation qui semble vouloir annoncer quelque chose de grave et d'urgent. Pour qu'Uriel et les Guerriers de Lumière changent des plans d'Enseignements, il doit se produire des choses importantes. Il continue:

- *Il est important pour vous les Enseignements qui seront donnés ce soir. Nous ne demandons pas que vous fassiez ce soir les écrits, mais qu'ils soient faits bientôt. Thébarra a laissé une question qui est une inquiétude... peut-il?*

- C'est possible.

- *Nous affirmons que Thébarra a des para...* (le mot parasites est suggéré et retenu), *nous l'affirmons! Il n'est cependant pas dangereux, quoique très lourd à porter pour le véhicule. Thébarra nous demande une façon... Nous affirmons pouvoir aider Thébarra. Nous vous donnons ainsi une... recette!*

131

Uriel semble très satisfait d'avoir déniché ce mot qu'il sait juste. Et il poursuit:

- *Thébarra a de grosses difficultés. Il y a un problème, petit problème d'acceptation de notre venue, quoique nous sachions qu'il en était ainsi pour vos véhicules. Le message qu'elle laisse est qu'il y a... Mmmmm... suggérez s'il-vous-plaît...*

J'ignore le sens de sa phrase, il ajoute qu'il s'agit de quelque chose comme de «manque de compréhension», de «mélangé», je suggère alors le mot «confusion».

- *Nous l'affirmons. Il y a confusion dans ses mémoires. Il apparait que les véhicules qui prêtent leur enveloppe ont ce problème. Vous devez, Zémüra, travailler avec Thébarra vos vibrations d'Amour. Ne vous éloignez point. Vos vibrations doivent être... à la même fréquence diriez-vous. Vous avez compréhension?*

- Oui, je comprends.

- *Nous vous donnons la recette. Pour Thébarra, il doit y avoir du... sommeil... peut-il ?* (Je confirme le mot)... *pour trois fois trois heures pour trois fois trois rota... trois jours. Le sommeil de trois fois trois heures est un total. Les trois fois trois heures peuvent être faits à votre choix. Vous avez compréhension?*

Je vérifie si ces heures de sommeil doivent être faites à l'intérieur d'une même rotation.

- *Nous l'affirmons. Pour trois fois trois jours. Il doit y avoir, avant ce changement de plan de sommeil..., Thébarra doit utiliser trois fois la prière du Tout-Puissant et trois fois la prière des Guerriers de Lumière.*

- S'agit-il de la prière de la Lumière?

- *Pour vous faire image, nous pourrions affirmer qu'il s'agit de l'Hymne National!, peut-il?*

Le sourire d'Uriel en dit long sur son contentement d'avoir trouvé ce rapprochement. Je lui confirme que c'est en effet une excellente image: l'Hymne National des Guerriers de la Lumière.

- *Vous avez compréhension de tout ceci?*

Je répète la consigne du sommeil de trois fois trois heures par jour et ce, pendant trois jours et du récit des trois «Notre Père» et des trois «Prière de la Lumière» avant le dodo. Uriel est satisfait de ma compréhension. Il continue:

- *Durant son sommeil, doit veiller sur son véhicule, les lumières que vous utilisez.*

- Les lampions?

- *Nous l'affirmons. Les prières qui seront dites protégeront Thébarra et ce que vous... ce que vous demandiez pour le chiffre magique, «trois», aura un effet... de balayage sur les parasites. Ils seront éloignés de Thébarra mais ils seront tout de même dans... votre... maison.*

Vous devrez donc aussi faire un nettoyage de votre maison, que vous commencerez au début de la deuxième période de trois jours. Durant la première période de trois jours, Zémüra, vous devrez aussi prendre du sommeil trois fois trois heures. Lorsque votre période sera terminée, vous débuterez le nettoyage de votre maison. Ce nettoyage se fera en trois jours. Vous devrez pour le premier jour utiliser vos... votre fumée... (je suggère l'encens...), *nous l'affirmons, tel qu'il vous a déjà été mentionné nous croyons pour... les angles... peut-il?* (Je propose le mot «coin»...), *nous l'affirmons. Pour le deuxième jour, vous utiliserez encore dans les angles... l'eau que vous avez... qui est... de la journée de la résurrection du Tout-Puissant.*

- De l'eau de Pâques...?

- *Nous l'affirmons. Et pour votre dernier jour, pouvons-nous boire?...* (glou-glou) ... *pour le dernier jour, vous utiliserez dans chacun des petits cubes de votre maison...* (je suggère le mot «pièces»), *nous l'affirmons, votre Bouclier Transmetteur de Lumière Infinie.*

- Dois-je utiliser Aë-Jarma de la même façon que je l'ai utilisée ici ce soir pour purifier la pièce des présences indésirables?

- *Nous l'affirmons, mais durant le nettoyage de votre maison vous devez vous envelopper de Lumière. Utilisez vos boucliers de protection, Thébarra et Zémüra. Le nettoyage se fera par les deux véhicules. Assurez-vous d'élever vos vibrations d'Amour. Vous avez compréhension?*

- Oui.

- *À la fin du troisième jour de nettoyage... nous avons fait erreur. Au début de chaque jour de nettoyage, avant le nettoyage, vous devez trois fois... réciter... peut-il ?* (Je confirme le terme réciter...), *la Prière du Tout-Puissant et la Prière des Guerriers de Lumière et lorsque vous avez fini le nettoyage de la journée vous redites les Prières.*

Il est très important que Thébarra sache qu'il n'y a pas de danger pour elle et pouvez-vous taire son inquiétude? Nous ne cesserons pas de venir la rencontrer.

Thébarra a aussi de gros problèmes de doutes. Nous vous demandons de l'aider par vos mots d'Amour. Elle a besoin... elle a besoin de se perdre pour se retrouver.

- Elle a besoin de s'isoler?

- *Nous le nions. Elle est égarée... Elle est égarée.*

- Présentement?

- *Nous l'affirmons. Aidez-la à se retrouver en l'enveloppant de votre Lumière et de votre Amour. Thébarra est beaucoup plus jeune que Zémüra dans l'utilisation de la Lumière et éprouve de grosses difficultés.*

- Elle éprouve de la difficulté? J'en cherche les raisons.

- *Nous l'affirmons. Ces difficultés nous sont transmises par ses mémoires, et son véhicule a des problèmes, diriez-vous, et c'est la raison, nous croyons, pour laquelle nous aussi avons des problèmes à l'utilisation de son véhicule dans cette visite. Il y a..., non point résistance..., il y a des blocages...?*

- C'est possible. À quels niveaux s'il-vous-plaît?

- *Au niveau, diriez-vous, de l'Esprit... règne une grande confusion. Beaucoup de questions. Beaucoup de doutes.*

Je demande à Uriel s'il s'agit d'inquiétudes vis-à-vis le plan matériel car je sais que Danielle se questionne beaucoup ces temps-ci, sur la façon dont l'argent va entrer et sur la santé financière de notre entreprise, même si selon moi, il n'y a rien d'alarmant, ni même d'inquiétant. C'est le temps des vacances, alors c'est normal que les affaires soient au ralenti.

- *Il s'agit de petites poussières, l'argent. Il ne s'agit pas des plus gros problèmes de Thébarra. Il y a beaucoup de doutes, de... un grand mélange, pouvez-vous suggérer?* (Je suggère encore le mot «confusion»),... *confusion dans son Esprit. Vous pouvez aider Thébarra en l'enveloppant de Lumière et d'Amour Infinis. Elle est très jeune.*

- Je le ferai.

- *Avez-vous des questions urgentes?*

J'explique à Uriel que nous n'avons pas de questions très urgentes, quoique celles que nous avons sont quand même importantes. Je fais aussi remarquer à Uriel que lorsque les Guerriers de Lumière sont présents par lui dans le véhicule de Thébarra, je crois qu'elle est grandement régénérée et que cela aide beaucoup son véhicule. J'ajoute que Thébarra connaît une très grande fatigue physique. Ce à quoi il répond:

- *Nous affirmons qu'avec la petite recette que nous vous avons donnée, ces petits problèmes d'enveloppe se régleront.*

Tandis qu'Uriel achève de parler, je jette un coup d'oeil aux questions que j'avais préparées et réalise que deux d'entre elles vaudraient la

137

peine d'être abordées maintenant, vu leurs urgences relatives. J'en informe notre Visiteur qui répond:

- *Les recettes que nous vous avons données doivent commencer lors de la prochaine rotation.*

- Demain?

- *Nous l'affirmons.*

- Les écrits seront faits demain matin. Pouvons-nous maintenant poser les questions?

D'un signe de la tête, Uriel me donne le feu vert et j'enchaîne avec mes questions:

- Nous savons qu'une comète se dirige présentement vers la planète Jupiter et que la collision est imminente, en fin de semaine, samedi plus exactement. Est-ce que nous, sur la Terre, ressentirons des effets de cette collision?

- *Nous cherchons les vibrations de cette planète... Nous avons trouvé. Plusieurs véhicules diront qu'il s'agit de la fin du monde et il y aura une... panique... peut-il?* (Je confirme),... *qui se fera à plusieurs endroits.*

- Sur la Terre? Je réalise la stupidité de la question car ma question précédente portait sur les effets ressentis sur Terre. L'Entité semble ignorer cette connerie et répond:

- *Nous l'affirmons.*

- Et ceci se fera en fin de semaine?

- *Le début.*

- Le début se fera en fin de semaine?

- *Et vous diriez, de façon graduelle. Lentement.*

- Et pour combien de temps s'il-vous-plaît?

- *Nous espérons qu'il s'agit du Grand Ménage.*

- Ah bon! Est-ce qu'il s'agit vraiment du Grand Ménage? De celui que plusieurs attendent?

- *Vous diriez que ceci est planifié.*

- Oui, mais s'agit-il de ce Grand Ménage planifié?

- *Nous l'affirmons.*

- Et tout va débuter en fin de semaine? Je réalise du coup que ma stupéfaction me fait reposer les mêmes questions.

- *Nous l'affirmons.*

- Y a-t-il des précautions que nous devrions prendre?

- *Utilisez vos boucliers, entourez-vous de Lumière et dites les Prières. Nous devons quitter.*

- Avant que vous ne quittiez, pourriez-vous faire quelque chose pour calmer et éliminer la douleur que Thébarra ressent souvent à la mâchoire supérieure gauche?

- *Nous pouvons aider Thébarra dans ses vibrations, dans ce que vous appelez les corps. Pour ce qui est de son enveloppe, elle est le Maître à bord. Nous vous saluons Zémüra et nous vous enveloppons de Lumière.*

- Nous vous remercions et vous saluons Uriel et les Guerriers de Lumière.

Les papillons de nuit...

Lorsque vous commencez à travailler consciemment avec la Lumière, vous devez vous attendre à devenir lumineux. Non pas que vous allez vous mettre à briller immédiatement dans le noir, comme ces petits gadgets en caoutchouc que l'on trouve dans les boîtes de céréales et que l'on colle un peu partout, mais votre Lumière intérieure va augmenter d'intensité.

Ceci aura pour effet d'attirer toutes sortes, de ce que j'appelle les «papillons de nuit». Les âmes du monde astral, dont certaines n'ont pas un niveau vibratoire encore assez élevé pour se diriger vers la Lumière du Tout-Puissant vont être attirées par votre Lumière. Ils sont ce qu'on appelle des parasites. Ils craignent les ténèbres, qu'ils côtoient, et s'accrochent à vous comme de véritables sangsues. Ils font de vous leur nounou.

Les partisans des ténèbres, pour leur part, vous localiseront à un moment donné et n'apprécieront pas le travail que vous faites avec la Lumière. Les plus hardis s'approcheront et feront tout ce qui est en leur pouvoir pour vous faire dévier du chemin que vous avez choisi. Il vous semblera maintes fois que la malchance vous accable, que rien ne va, et que le découragement est bien près de vous habiter. L'arme la plus fréquemment utilisée par les ténèbres

141

est la cupidité. Plus votre Lumière brillera, plus ils mettront le paquet pour vous entraîner avec des gains faciles en guise d'appât tout en mettant votre pseudo-misère en évidence exagérée. Ils sont prêts à tout, ou presque, pour vous faire dévier de votre route.

La seule chose à laquelle ils ne sont pas prêts, est de se faire envelopper de Lumière.

Donc, lorsque plus rien ne va, qu'il semblerait bien plus facile de tout laisser tomber et de ne plus travailler avec la Lumière, la SEULE solution consiste à briller encore plus. Entourez-vous de Lumière et récitez des «Notre-Père». Ouvrez-vous à la Lumière et demandez l'aide du Tout-Puissant et des Guerriers de Lumière. Vous sentirez alors vos craintes et vos peines fondre comme neige au soleil.

Les parasites ainsi enveloppés de Lumière se détacheront de vous et s'élèveront un peu plus vers le Tout-Puissant alors que les ténèbres s'enfuiront, pris d'une «sainte frousse», ne pouvant plus supporter l'intensité de cette Lumière!

Vous ne pourrez jamais éviter complètement et définitivement le harcèlement des «papillons de nuit» mais au moins maintenant, vous disposez d'une des meilleures protections anti-bibittes qui soit.

Pourquoi moi?

Danielle est tantôt allongée sur le fauteuil, tantôt assise sur le lazy-boy, et elle relit pour la deuxième fois «Ces voix qui me parlent» de Marie Lise Labonté. Elle le relit une seconde fois pour vérifier mes allégations lorsque je lui dis et lui répète, sans toutefois faire exprès, que telle réaction ou tel événement qui lui arrive, est arrivé à Marie Lise aussi.

À force de lui répéter ceci, je l'ai poussée sans le vouloir, à me faire une courte crise d'identité où elle m'a clairement signifié qu'elle était Danielle et non Marie Lise. Calmement, je lui ai expliqué que dans tel ou tel passage de son livre, Marie Lise avait vécu des choses semblables à celles qui lui arrivaient ces temps-ci et que je n'avais nullement l'intention de jouer au plus fin, à celui qui sait tout, ni de la comparer à Marie Lise.

Mon épouse est un as de la lecture rapide et c'est de cette façon qu'elle avait lu le livre la première fois. Cette façon de lire est excellente si l'on ne veut connaître que les grandes lignes d'un ouvrage, mais pour un livre comme celui-ci et que je n'hésite pas à qualifier de manuel de référence, une lecture attentive et approfondie s'applique. Dans le cas de Danielle, il ne s'agit pas d'un livre à lire, il s'agit d'un manuel à étudier. C'est dans cette optique qu'elle l'a repris.

Ses capacités de médium s'étant soudainement révélées de manière consciente, elle connaît toutes sortes de sentiments. Elle connaît des hauts et des bas. Beaucoup plus que dans la vraie vie ordinaire. Elle se questionne à savoir pourquoi de telles choses lui arrivent et surtout, pourquoi à elle. Il lui arrive même quelques fois de douter de son équilibre mental. Heureusement que je suis là pour lui dire que non, elle ne devient pas folle. Je sens qu'elle a beaucoup besoin de moi et je ne demande pas mieux que de l'aider. De plus, les gens où elle travaille lui sont d'un précieux secours, étant eux-mêmes des habitués de ces phénomènes.

Danielle réalise la chance qu'elle a d'être ainsi entourée et elle imagine facilement le désarroi que doivent connaître les gens qui se retrouvent médium du jour au lendemain et qui n'ont personne à qui parler, avec qui échanger sur ce sujet particulièrement délicat. Les ouvrages sur le sujet ne pleuvent pas et les risques de tomber sur des romans à sensations ou des recueils de beaux textes bien fardés autant qu'erronés sont quand même présents. Qui peut recommander quoi? En parler ouvertement à n'importe qui peut conduire directement à un asile pour aliénés mentaux.

La question la plus difficile à élucider est: «Pourquoi moi?»

144

Nous sommes assis l'un près de l'autre et Danielle retourne en arrière et me rapporte des passages de sa vie, qu'elle trouve d'ailleurs passablement ordinaire. Je l'écoute me raconter:

«Premier enfant de la famille, je suis très aimée et très gâtée. Un peu avant l'âge de 3 ans, on me dit que j'aurai un petit frère ou une petite soeur pour ma fête. J'en étais très heureuse, quoique un peu effrayée. Une poupée vivante qu'on me disait.

Quelque temps plus tard, ma tante chez qui je demeure, le temps pour ma mère d'aller à l'hôpital, a les yeux pleins de larmes et tout comme un tourbillon, plein de gens autour de moi ont de la peine, je sens cette peine et je demande: «Qu'est-ce qu'il y a?» Personne ne répond, j'ai peur.

De retour chez moi avec maman et papa, je demande: «Où il est mon petit bébé?»

«Il est au Ciel avec le Jésus», on me répond.

«Au Ciel, avec mon petit chien?»

«Pourquoi le petit Jésus a-t-il amené mon petit frère?» et j'entends une réponse dans ma tête:

«Il voulait un ami.»

«Oui, mais moi aussi je voulais un ami.»

«Il sera tout de même avec toi, le vois-tu?»

À partir de ce jour, mon petit frère était là avec moi. Je pouvais lui parler, lui chanter des chansons de ma composition, lui confier mes secrets. Il gambadait avec moi et était beaucoup plus agité que mon ange gardien qui était assis sur mon épaule gauche. Cet ange, lorsqu'il avait quelque chose à me dire, descendait de mon épaule et se plaçait devant moi. Il devenait très grand, me parlait et me guidait.»

Ce n'est pas un signe pour Danielle. Combien d'enfants voient des personnages dits imaginaires. Ses parents n'ont jamais ridiculisé ces faits. Pour eux, il était normal qu'un enfant voit des choses que les adultes ne voient plus. La majorité des enfants ont des amis invisibles. Un thérapeute dirait que ces amis remplacent ou comblent le vide laissé par un manque quelconque. Elle ne le croit pas. Durant sa petite enfance, elle est protégée et encouragée dans ce sens. Autour d'elle, légendes et contes font partie du quotidien. Les fées, les sorcières, bonnes et méchantes, le Père Noël, la Fée des Dents, autant de choses qui sont normales et qui d'un coup n'existent plus, lorsqu'elle commence l'école.

«Pour nous protéger, les parents nous disent que cela n'existe pas, que nous sommes grands maintenant et ainsi disparaissent à nos yeux plusieurs de ces merveilleux personnages...

146

J'aurai bientôt huit ans et ma mère est partie à l'hôpital pour avoir un autre bébé. Tout le monde est inquiet, la peur, la crainte font partie du quotidien. Moi, je n'ai pas peur, je sais que ma mère reviendra avec une petite soeur. Mon ange gardien me l'a dit. Personne ne sait qu'il est là, que je le vois et qu'il me parle. «Ben voyons, une grande fille comme toi, ça ne croit plus à ces choses là!», me dit-on.

Voilà maman revenue avec ma petite soeur. Pauvre bébé qui pleure toujours. Je sais que maman est fatiguée, très fatiguée. Je m'isole, je joue toute seule, je suis bien, je sais que maman et papa m'aiment beaucoup, mais que le bébé est malade et qu'ils sont fatigués, je comprends et je n'ai pas de peine.

Un soir, j'entends les adultes parler de moi. Mon isolement, croient-ils, est dû au fait que je n'accepte pas le bébé, que je suis jalouse. J'aimerais leur dire que ce n'est pas vrai, que c'est parce que je comprends ce qui se passe. Si j'embrasse mes parents moins souvent, c'est que ma petite soeur a besoin de beaucoup plus de baisers que moi.

Les adultes ne comprennent pas que j'ai plein d'amis et me regardent d'un drôle d'air. Mes parents ont trouvé la solution pour l'été! Maman restera à la maison avec le bébé durant la semaine et papa, quant à lui, m'amènera travailler avec lui pour faire des livraisons à Montréal. Les fins de semaine, nous irons camper avec des amis de mes parents. Ils ont trois fils, dont deux ont sensiblement le même âge que moi et le dernier, l'âge de ma petite soeur.

Je n'étais pas malheureuse, bien que j'aie beaucoup apprécié ce changement. J'aime beaucoup mon père, il a toujours un tas de choses à m'apprendre: à quoi servent les cartes routières, comment s'en servir, comment voir les rues d'une ville comme si on était au-dessus...

Je tais la présence de mon ange gardien qui m'aide à passer le temps durant ces longues journées. Comment penses-tu qu'une enfant de huit ans et demi pourrait rester bien tranquille dans un camion, neuf heures durant?

À douze ans, j'ai plusieurs amis, visibles aux autres ceux-là. Je m'affirme, j'entre dans l'adolescence et selon ma mère, ce n'est pas facile. Cette période est très difficile pour mes parents et pour moi. Comme tous les autres, je me questionne, mais je passe à travers cela avec mon ange gardien. Je choisis ou non d'écouter sa voix. Penses-tu que j'en parle aux autres? Non!

Un jour j'ai demandé à ma meilleure amie si elle avait et voyait aussi son ange gardien et elle m'a répondu:

«Mais voyons! Es-tu sûre qu'en plus tu ne dors

pas avec un nounours?»

Donc, à partir de ce moment, j'ai décidé que je ne parlais plus de lui, tout en le gardant avec moi, ça peut toujours être utile...

Tous les ans, durant la saison de Pâques, je passais par une période de «sainteté». Avec tous les films saints qu'il y avait à la télé, je voulais devenir choisie, comme Maria Goretti, les enfants de Fatima. Je pleurais la mort de Jésus, je jurais de devenir douce et aimable, de consacrer ma vie à Dieu. Cela durait une semaine et c'était oublié, jusqu'à l'année suivante.

À l'âge de quatorze ans, nous déménageons dans les Cantons de l'Est, à Bromont. Je dois me faire de nouveaux amis. Il m'arrive alors quelque chose de spécial, quelque chose qui n'était jamais arrivé...

Les gens que je rencontre sont blancs ou noirs. Non pas, dans la couleur de leur peau, mais plutôt quelqu'un me dit dans ma tête:

«Il est blanc.» ou «Il est noir.»

Il n'y a jamais de gris. Comme je lis beaucoup, à un moment donné j'apprends le phénomène des «atomes crochus». Voilà sûrement l'explication de ce qui m'arrive. Blanc, cela accroche; noir, cela n'accroche pas.

Je suis bien à Bromont, même si je m'ennuie de mes autres amis. Bromont, c'est différent, excitant. J'y ai vu, avec mon père, des soucoupes volantes. Ça fait peur un peu, mais c'est spécial, même si beaucoup de gens n'y croient pas, chez nous on y croit, on en a vu.

À dix-sept ans, je commence à travailler comme secrétaire. Un nouveau milieu pour moi, de nouvelles gens à connaître et... des conversations très spéciales.

Un gars du département de comptabilité, parle souvent d'extra-terrestres, de réincarnation, de médiums, de régressions. Ses conversations me fascinent et je suis bouche bée devant ses connaissances. Il remarque mon intérêt et me suggère des lectures, me prête des livres. Le premier livre que je lis est: «À la recherche de Bridey Murphy»[2]. J'en parle avec mon père, qui achète le livre et le dévore.

Wow! Ça doit être super d'aller dans nos vies antérieures en état d'hypnose. Pas de question pour nous deux, ça existe la réincarnation, nous en sommes sûrs.

Ainsi commence la valse des lectures. Livres achetés, empruntés d'un ami, de la bibliothèque, plusieurs y passent: Rampa, Cayce, etc... Mon père commence à acheter les fascicules de l'encyclopédie des phénomènes inexpli-

---

2 BERNSTEIN, MOREY, À la recherche de Bridey Murphy, Éditions J'ai Lu, 1975, 309p.

qués.

À dix-neuf ans, je déménage. Je retourne dans mon village natal, pour m'y marier avec un ami d'enfance. Tout redevient normal, tranquille, à part quelques séances de spiritisme que nous faisons, mon père, ma soeur, et moi, après nous être assurés d'avoir la protection de Dieu. Ma mère n'y participe pas, elle dit ne pas aimer ces choses là. Mon conjoint lui, n'y croit pas.

Six ans plus tard, nous déménageons. Problème d'emploi et récession, mon père engage mon conjoint et me voici de nouveau à Bromont. Nous sommes en 1981, ma fille a deux ans.

En 1983, mon fils naît et à partir de ce moment, tout me lâche. Ma vie devient un méli-mélo. Ma vie de couple bascule. Nous vivons ensemble, tout simplement. Je retourne sur le marché du travail, espérant un changement, mais ça craque tout de même.

Au début de 1989, je suis perdue. Est-ce que je dois me séparer? Comme il y a aussi de gros changements à mon travail, je décide de consulter une «tireuse de carte» pour savoir si j'aurai le poste convoité.

En un temps record, tout s'organise. J'ai rendez-vous le même soir. J'ai un peu peur car je crois beaucoup à ces choses là.

151

Cette personne est de passage à Granby pour une courte période. Elle retourne chez elle, la semaine prochaine. Elle séjourne dans un petit bloc appartement. Je trouve l'adresse et me stationne sur le côté gauche de l'édifice. J'entre dans le bloc, remarquant qu'il n'y a pas de sonnette à l'entrée. Je monte les marches, je trouve l'appartement. Tiens, il est situé complètement à l'arrière et du côté droit. Les fenêtres donnent sur la cour arrière, donc la personne qui m'attend ne sait pas que je suis arrivée.

Comme je me prépare à frapper, quelqu'un m'ouvre et me dit: «Je savais que tu étais là». Je pense que c'est impossible, le plancher est en terrazzo, j'ai des bottes à semelles de caoutchouc, je n'ai pas fait de bruit et de plus, il n'y a pas de petit oeil dans la porte. Bah! ce n'est pas important.

Comment était cette dame? Je ne m'en souviens pas. Nous nous dirigeons vers la cuisine et elle me demande de prendre place à la table. Au centre est étendue une serviette blanche. Elle me remet un paquet de cartes très usées, qu'elle me demande de brasser et de couper de la main gauche. Le rituel habituel quoi. Elle prend alors les cartes qu'elle tient entre ses mains et commence à me parler.

Elle me dit que je me pose une question sur mon travail, mais qu'il n'y a pas de problème, j'aurai le poste désiré.

152

Je suis étonnée car je n'ai pas posé de question. De plus, elle n'a même pas mis de cartes sur la table. C'est peut-être une nouvelle façon de faire. Je me jette à l'eau et lui demande:

«Et mon ménage, lui?»

Elle m'apparait mal à l'aise. Sûrement pour sauver les apparences, ou pour se donner du temps, elle place quatre cartes sur la table et se concentre.

- «Je vois une brisure, une coupure. Il est de quel signe ton mari?»

- «Cancer.»

- «Il est là et il n'y est pas. Très difficile à comprendre. Il y a brisure de ménage mais, c'est comme s'il revenait après un changement énorme. C'est sûrement cela, vous vous séparez, j'en suis certaine, par contre il semble revenir dans ta vie très peu de temps, après avoir subi un très gros changement.»

Cela me semble logique: nous nous séparons, il a un choc, change et tout redevient beau et merveilleux.

- «Par contre, tu devras t'attacher. Lorsqu'il reviendra, les événements se précipiteront. Tu auras l'impression qu'un train passe devant toi et t'aspire, et que tu es accrochée à lui. Cela ira vite, très très vite, mais tu seras très heureuse...

- «Autre chose, montre-moi ta main gauche!»

Je pense que, bon, je vais même avoir les lignes de la main...

- «C'est bien ce que je pensais... Savais-tu que tu avais un don?»

- «Je savais que j'aimerais bien en avoir un, mais lequel, ça je ne le sais pas».

- «Je te le confirme, tu as un don, mais tu devras le découvrir toi-même. Ce don apparaîtra entre trente-cinq et quarante ans. Je te donne un petit exercice... Le soir avant de te coucher, fais-toi un mantra du mot «ensemble» et ce, afin de faire travailler les trois parties qui sont en toi: le conscient, le subconscient et l'inconscient... et tu seras très surprise prochainement.»

La séance se termine sur ces paroles. Toute excitée, je retourne à la maison, j'ai hâte d'essayer cette technique...

Au coucher, je suis très calme, je suis seule, mon conjoint travaillant de nuit. Je me répète donc, ce fameux mantra... Ensemble...

Je me réveille toute en sueurs. Il est trois heures du matin. Quel cauchemar! Eh bien! si c'est ça que ça donne le mantra Ensemble, on ne m'y reprendra plus. Quelle atrocité! Je viens de voir très clairement un homme assez jeune, tuer ses deux jeunes enfants. Deux tout-petits, très blonds, et âgés d'à peu près deux et trois ans. J'ai vu l'événement très clairement, j'ai même vu la maison où cela se passait. Une maison de briques rouges, je la reconnaîtrais si je passais devant...

Je me calme et me rendors pour quelques minutes..., avant la sonnerie du réveil. Le lendemain soir aux nouvelles à la télé, j'aperçois des images de cette maison et la photo des deux enfants et de leur père. C'est fini pour moi, ce mantra.

La même semaine, ça y est, je me sépare. Me voici donc toute seule avec deux enfants, sans auto et une maison à payer. Je relève mes manches, lève la tête et regarde en avant. Nous sommes en janvier 1989.

Je fais la brave et la forte devant les enfants, mais souvent le découragement me prend. Les fins de semaine durant lesquelles je n'ai pas les enfants, sont très longues et très pénibles.»

Danielle termine le récit de cette portion de sa vie et nous convenons que les seules choses qui auraient pu la pré-destiner à la médiumnité, c'est son ouverture d'esprit et peut-être une certaine faculté latente de clairvoyance.

Il y a tout de même beaucoup de gens qui ont eu une vie à peu près semblable et ils ne sont pas médiums pour autant, du moins le croyons-nous. À présent, je reconnais dans sa médiumnité le don annoncé par la voyante en 1989. Danielle est à mi-chemin entre trente-cinq et quarante ans.

Le même soir, alors qu'elle dort, je me remémore que je suis souvent «entré» dans ses rêves pendant son sommeil. Elle se mettait à prononcer de courtes phrases et j'imaginais où elle était et je posais des questions sur ce qu'elle voyait. J'étais un peu croche sur les bords avec mes questions que je devais poser indirectement pour avoir une réponse. Par exemple, si elle voyait une fleur, je lui affirmais que celle-ci était d'un très beau rouge. Lorsqu'elle ne répondait pas, j'en déduisais que celle-ci était effectivement rouge. Mais plus souvent qu'autrement, il s'agissait plutôt d'une autre couleur. Je n'ai cependant jamais pu recevoir d'informations à caractère temporel. Elle ne savait jamais quel jour c'était, ni quelle heure il était. J'ai bien essayé et me suis surtout bien amusé. J'ai déjà fait durer le jeu pendant deux heures et demie.

Une autre fois, je lui ai demandé si elle voyait mon père, décédé depuis peu. Elle m'a répondu: «Bien oui!», d'une voix impatiente, comme si je posais des questions stupides. Je lui ai tout de même demandé s'il avait un message pour moi. J'ai alors reconnu les intonations familières de la voix de mon père et sa manière de m'appeler (même à trente-sept ans!), lorsqu'elle m'a répondu: «Lâche pas ti-gars, lâche pas.»

J'ai été très ému, car mon père utilisait souvent cette expression pour m'encourager. Danielle n'a jamais entendu mon père employer celle-ci et je ne lui en avais jamais parlé auparavant.

Je réalise maintenant, après avoir joué à ce petit jeu pendant près de cinq ans, que Danielle était alors dans une forme de transe et que je ne m'en doutais même pas. Je réalise aussi que nous avons été très chanceux que Danielle ne se mette pas à canaliser des entités de bas niveau vibratoire pendant ces expériences faites sans prière de protection. Très chanceux d'avoir bénéficié inconsciemment de la protection des Guerriers de Lumière. Ils nous l'ont récemment confirmé. Nous les remercions.

Purifications et métamorphoses.

À mesure que nous avançons, que nous évoluons dans ce processus de médiumnité, nous remarquons des changements de plus en plus prononcés dans nos corps, nos manières d'être, de penser, et d'agir.

Le corps se purge, se nettoie progressivement de ses impuretés. Des malaises passagers surgissent pour disparaître aussitôt. D'autres persistent un peu, mais cessent dès que l'opération de nettoyage local s'est terminée.

Il est souvent facile de confondre ces purifications avec des attaques des ténèbres ou une marée montante de parasites. Peu importe la source du malaise, le remède demeure le même: s'entourer de la Lumière du Tout-Puissant.

Des métamorphoses physiologiques et morphologiques se produisent aussi, créant des sensations intérieures jusqu'ici inconnues et modifiant parfois même de façon notable l'apparence extérieure. La nature et l'emplacement de ces changements peuvent différer selon la personne. Danielle a connu un changement complet dans la texture de sa peau. Son massothérapeute nous a confirmé que ses muscles se sont aussi affermis, surtout au niveau des jambes. Ses épaules se sont amincies. Lorsqu'elle est en transe, ses yeux arborent une auréole bleutée autour de l'iris brun noisette. Elle ne connaît plus les problèmes d'ongles cassés qui lui étaient familiers. Mes mains se sont subitement guéries d'un eczéma d'une variété que personne n'a jamais pu soigner depuis plus de trente ans, au grand plaisir de ma conjointe qui trouve que j'ai maintenant les mains les plus douces qu'elle n'ait jamais connues.

Des personnes récemment rencontrées et que je n'avais pas vues depuis un certain temps m'ont dit que j'avais maigri. Je me demande où ça, car j'ai toujours été pas mal squelettique et à ma connaissance, les os ne maigrissent pas. J'ai, par contre, noté que plusieurs rides qui commençaient à marquer mon visage de quarante ans sont disparues, bien que ceci m'importe peu.

Je connais une perpétuelle et bizarre sensation au niveau de la couronne, située sur le sommet de la tête. C'est comme si j'avais porté une casquette trop longtemps et qu'après l'avoir retirée, la sensation du port de celle-ci persiste, comme une réminiscence, comme une légère pression autour du sommet du crâne. Des picotements réguliers au niveau du front, entre les yeux, sont également présents. Danielle vit aussi les mêmes sensations.

Comme un petit enfant.

Le médium, lorsqu'il est en transe, devient comme un petit enfant au même sens qu'il devient d'une très grande vulnérabilité. Les Entités prennent soin de son âme et de son esprit, mais pour ce qui est d'assurer la sécurité du corps physique et de son bon fonctionnement, l'entière responsabilité en revient au directeur de transes.

C'est lui qui dirige la rencontre, du début à la fin, et qui s'assure que tout est en place. Cela ne veut pas dire qu'il doive tout faire seul. Le directeur peut demander de l'aide et souvent, agir ainsi est sage et souhaitable, surtout lorsque les participants aux rencontres se font plus nombreux.

Lors des premières rencontres privées, ne soyez pas surpris si «vos» Entités vous indiquent que tel ou tel participant possède de très grandes racines, qu'il jouit d'un pouvoir d'enracinement supérieur à la moyenne. Ne vous gênez surtout pas pour inviter une ou plusieurs de ces personnes lors de rencontres plus importantes, alors que l'assistance est plus nombreuse. Ces personnes qui possèdent un grand pouvoir d'enracinement sont appelés «piliers» dans le milieu et leur rôle est primordial. Plus la foule est nombreuse et plus les chances sont élevées qu'il y ait un ou plusieurs autres médiums dans la salle. Certaines de ces personnes sont conscientes de leur faculté de médium et elles prennent leurs précautions pour ne pas «décoller». Par contre, d'autres en sont inconscientes ou ne peuvent s'enraciner suffisamment, si bien qu'il peut très bien vous arriver d'avoir à diriger quelques sujets simultanément, par accident pourrait-on dire.

Dans de telles circonstances, vous trouverez vos «piliers» fort utiles puisqu'ils vous aideront à enraciner ces formes «flottantes». Et même s'il n'y avait pas d'autres médiums dans l'assistance, la présence des «piliers» permet un bien meilleur retour de la forme dans son corps tout en favorisant une saine et rapide récupération de ses moyens. Vous, directeurs, aurez sûrement l'occasion de constater et d'apprécier les grands avantages d'un bon «atterrissage».

Dans un autre ordre d'idée, nous dirions que les Entités n'hésitent pas à faire des recommandations s'ils croient que celles-ci sont importantes et bénéfiques pour la forme. Notez précieusement ces informations et mettez-les en application le plus tôt possible. Ces Visiteurs, bien qu'ils prennent soin du côté spirituel du médium, comme ci-haut énoncé, ne négligent pas le bien-être physique pour autant. Ils savent déceler les malaises et inconforts internes même si ceux-ci ne nous sont pas apparents ou évidents. Ils affirment avoir beaucoup moins de difficultés à utiliser la forme si celle-ci est en bonne condition physique et bien reposée. Nous avons pu vérifier la justesse de ces propos à maintes reprises.

Le médium a BESOIN d'une confiance absolue en son directeur. Cette confiance favorisera grandement le «lâcher-prise» essentiel à l'élévation de la forme. Ceux parmi vous qui ont des enfants les confient-ils à une gardienne en laquelle ils n'ont pas confiance? Il en va de même pour le médium: alors qu'il quitte provisoirement son corps, il n'a plus de contrôle sur celui-ci et bien souvent même, plus aucune conscience de ce qui se passe dans la salle pendant la rencontre. À combien de gens prêteriez-vous votre carte de crédit? Il vous faut prendre conscience de ce besoin de confiance.

Il arrive de plus en plus, enfin nous le croyons, que le médium et son directeur soient des conjoints. Cet état de chose apporte beaucoup de commodités, mais aussi beaucoup d'inconvénients.

Lorsque les intéressés ne sont pas conjoints, ils se quittent après la rencontre et ils se disent: «À la prochaine!» Naturellement, ils gardent tout de même un contact assez étroit. Les conjoints, quant à eux, continuent de vivre ensemble entre les rencontres. Je ne connais personnellement aucun directeur capable de se souvenir exactement de tout ce qui s'est dit et passé lors d'une rencontre, et ceci s'applique particulièrement à mon humble moi-même, plein de trous de mémoire. Alors, tous les «Était-ce bien?», «Ont-ils apprécié?», «C'était quoi

163

les messages?» et «Pourquoi-ci, pourquoi-ça?» me mettaient souvent dans un état près de l'hystérie. C'était pareil comme avec un enfant: «Pourquoi les nuages?», «Pourquoi le ciel est bleu?», «Pourquoi c'est comme ça...?», vous voyez sans doute le portrait.

Le directeur doit garder en tête que son ou sa protégé(e) a BESOIN de savoir et d'être rassuré(e) avant de lâcher totalement prise. Seul, l'abandon total, l'acceptation du don de soi à la Source, peut permettre à la forme d'atteindre l'élévation que toutes les formes souhaitent rejoindre. La patience et la compréhension deviennent vite les vertus prédominantes des directeurs, surtout s'ils sont les conjoints des médiums.

Je crois, et ceci est une impression très personnelle, que si les médiums agissent ainsi, c'est qu'ils finissent aussi par faire, grâce à l'abandon, les retrouvailles avec leur enfant intérieur. C'est sans doute ce qui les rend si adorables!

Qu'est-ce que je fais là?

Il est 0h24 et Danielle est au lit depuis une quinzaine de minutes. Elle dort profondément. Je lui ai souhaité bonne nuit et l'ai regardée s'endormir. Mon coeur vibre beaucoup et dans ma tête, des tas de souvenirs refont surface.

Je réalise que je suis ici et maintenant. Je viens, il y a à peine une heure de terminer de diriger la quarante-troisième transe de Danielle avec Uriel et les Guerriers de Lumière. Encore une autre rencontre intéressante, tout autant que les précédentes. Je revois défiler celles-ci, une à une, en remontant le cours du temps. Je revois la toute première rencontre avec cette Entité, et revis mentalement toute l'excitation et la fébrilité de ces moments.

Je m'analyse et me psychanalyse. Qu'est-ce qui peut bien avoir amené les Guerriers de Lumière à me choisir pour diriger les rencontres avec eux et Thébarra? Sûrement pas des études universitaires, je n'en ai aucune. Les seules études que je possède sont celles que j'ai faites en électronique et en informatique: elles sont à peine suffisantes pour un diplôme d'études collégiales. Je n'ai pas non plus fait d'études en théologie. J'ai reçu une éducation religieuse catholique comme tous les jeunes de mon temps avec qui j'ai fréquenté l'école. Bien que j'aie reçu la plupart des sacrements, je ne suis pas pratiquant. Je crois et j'ai toujours cru fermement en Dieu, mais pour ce qui est de l'Église, c'est une autre histoire. J'en prends et j'en laisse. Les systèmes bien établis, qu'il s'agisse de croyances ou non, m'ont toujours semblé être un carcan et j'ai toujours été un assoiffé de liberté. Bien sûr qu'il y a des valeurs morales auxquelles je crois et auxquelles je tiens, telles le respect envers tout ce qui est et existe, qu'il s'agisse de gens, de biens propres, d'opinions. Je crois à la charité, à l'amour, au pardon, à l'entraide universelle. Ce sont là des valeurs de base que des millions de gens possèdent, aussi je ne trouve guère de mérite particulier à les avoir fait miennes. Alors pourquoi moi?

Je retourne à mon enfance pour tenter d'y déceler des signes qui m'auraient prédestiné à vivre ces merveilleuses expériences.

Je suis né dans une famille modeste des Cantons de l'Est et je suis l'aîné de trois enfants. Bien que nous vivions au seuil de la pauvreté pendant ces temps-là, je n'ai pas souvenir d'avoir manqué de quoi que ce soit. Surtout pas d'amour! Ça il y en avait partout, du plancher en pente jusqu'aux craques du plafond, dans tous les recoins pas d'équerre du logis, et je peux vous dire que je me souviens qu'il n'y avait pas un coin qui soit à l'équerre, du moins c'est ce que papa disait. De l'amour, il y en avait tellement que ça sortait par les cadres de fenêtres pourris et faisait fondre la neige dehors!

166

Jusqu'à l'âge de sept ans, j'ai été régulièrement malade. J'ai eu toutes les maladies infantiles possibles et imaginables. Pire qu'un collant à mouches, j'ai même attrapé la poliomyélite. J'ai été très content... d'en sortir vivant!

De sept à douze ans, j'étais à peu près comme les autres ou presque. J'étais pas mal rachitique et j'avais de bonnes notes à l'école. Ça m'a valu le surnom du «Clou à grosse tête». Les durs à cuire de l'école m'ont adopté tout de suite et m'ont conservé pendant cinq ans à titre de souffre-douleur officiel. À chaque récréation, ou presque, j'avais droit à une séance de massage et d'attendrissage de steak. J'ai porté des lunettes de soleil les journées de pluie plus souvent qu'à mon tour et les parcomètres m'étaient très utiles pour me cacher et me rendre ainsi chez moi sain et sauf.

Je me souviens de mes vacances de l'année 1964. J'ai été témoin à quelques reprises, deux fois pour être exact, du passage dans le ciel d'une boule de feu rougeâtre et brillante. Elle laissait sur son passage une traînée de fumée blanche pour finalement disparaître au bout d'une dizaine de secondes. J'ai vu la première à Waterloo avec mon cousin Mario et la deuxième à Stukely-Sud, chez mon ami André. Les journaux en avaient beaucoup parlé. Je me rappelle avoir découpé ces articles et avoir commencé une collection de ceux-ci. Je ne peux cependant pas me rappeler où j'ai rangé cette collection et je ne me rappelle

167

pas m'en être débarrassé. Ces événements m'ont fasciné et toujours beaucoup intéressé depuis.

Vers l'âge de treize ans, je me suis inscrit dans une équipe de hockey. Vu ma difficulté à maintenir mes lames de patins sur la glace et l'expression d'une tendance à user exagérément les côtés des bottines, l'entraîneur s'est déclaré convaincu que je serais un excellent gardien de but. Je me suis alors mérité un nouveau surnom: «Le moustiquaire à grandes mailles». L'entraîneur a perdu, en plus des nombreuses parties, beaucoup de crédibilité auprès de mes co-équipiers et de leurs parents. On aurait dit que, malgré l'imposant équipement dont j'étais nanti, j'étais transparent. Toutes les équipes de la ligue avaient hâte de se mesurer à nous pour récolter des points faciles. Las des critiques, l'entraîneur m'a alors assigné un poste de défenseur. Il aurait mieux fait de me confisquer mes patins puisque j'aurais été beaucoup plus rapide en chaussons. J'étais toujours dans la zone où il ne fallait pas et avec pas mal de retard à part ça.

C'est à la fin du calendrier de cette mémorable saison de hockey que j'ai vécu la première crise consciente de mon ego. C'était pendant la dernière période de la dernière partie. Malgré mes efforts surhumains pour marquer un but ou du moins produire une aide à un but au cours de la saison, mon nom n'avait jamais résonné dans le Centre Sportif. Alors, des petites cornes ont poussées à travers mon casque. Lors d'une mise-au-jeu, j'ai localisé celui qui me semblait le plus balourd et le moins rapide de l'autre équipe. Je m'en suis approché à pas glissants et, après avoir fait un grand sourire béat à l'arbitre qui me regardait, je lui ai balancé mon bâton dans les patins puis j'ai couru m'asseoir au banc des punitions, sain, sauf et heureux. Mon nom était enfin mentionné dans les hauts-parleurs.

Bien que cette saison de hockey n'ait pas fait de moi un grand sportif, elle a grandement contribué à ma croissance. J'avais finalement atteint la stature moyenne des gars de mon âge. Mes tortionnaires étaient moins nombreux et un matin, j'ai décidé que c'en était assez pour ceux qui restaient. Ils m'attaquaient toujours par groupe de trois ou quatre. Or, je me suis dit que si je les rencontrais un à un, les choses pourraient peut-être tourner différemment. J'avais raison. J'ai rencontré le premier alors que je revenais du cours de gymnastique. Nous étions seuls dans un corridor et avancions l'un vers l'autre, lui, menaçant, moi, déterminé. À environ quatre pieds de lui, je lui ai frondé mes chaussures de course dans le nez. Il a tourné les talons et s'est mis à courir, se tenant l'appendice nasal à deux mains. Je n'ai jamais su si c'était à cause de l'impact ou de l'odeur, mais je n'ai plus jamais subi d'attaques.

Heureusement, ce succès ne m'est pas monté à la tête mais m'a cependant permis de me faire respecter. Je suis de nature très sensible et bien que je ne craigne personne, il suffit souvent d'un rien pour que je pleure. Je suis encore comme ça et il ne semble pas que ça soit sur le point de changer.

J'aborde mes quatorze et quinze ans avec une mentalité de hippie. On est en 1968 et la musique des Beatles est à toutes les stations de radio et dans tous les magnéto-cassettes. Mon père m'interdit de me promener pieds nus. Il dit qu'il a encore les moyens de me chausser. J'apprends à jouer de la guitare, me laisse pousser les cheveux, et dessine des «peace and love» partout. Je porte toujours des lunettes de soleil, mais pas pour cacher des yeux au beurre noir cette fois. C'est pour le «look»! On m'offre de la drogue. Je refuse toujours, sauf une fois où j'essaye, avec un ami, ce qu'il me dit être un «joint». Je me rappelle lui avoir dit que j'avais connu des sensations plus fortes en reniflant des capsules de bouteilles de bière. Je préfère piquer des cigarettes dans la réserve de mon père et de temps en temps, je m'en achète avec mon argent de poche. Je parais un peu plus jeune que mon âge, alors je pense qu'en fumant j'aurai plus de chance avec les filles qui me font loucher de plus en plus. Je me cherche une identité, un moi. Je me fais beaucoup de bons amis avec qui j'ai du bon temps. On ne touche pas à la drogue mais on prend une «brosse» à la bière de temps à autre et très rarement, au gros gin. On est tout de même une «gang» tranquille, polie et respectueuse.

Avec mes seize ans commencent mes difficultés à l'école. Je vais à une polyvalente de Granby, située à une vingtaine de kilomètres de ma ville natale. Encore une fois, je cherche mon identité au travers de cet amas d'élèves. La qualité de l'enseignement me déçoit. Des profs lisent le journal pendant le cours parce qu'un cinglé a pété en entrant dans la classe et ne s'est pas mis à genoux pour s'excuser. D'autres «maîtres» font des discours sur leurs convictions politiques. Si au moins le discours avait été en anglais, il aurait pu servir de prétexte à du matériel de cours de conversation anglaise. À chaque jour, mon écoeurement devient plus intense. Je commence à rater le bus. Si je manque mon coup pour le rater, et que par malheur je me rends à la poly, alors j'entre par une porte et je sors par l'autre. Il arrive que je retourne à Waterloo sur le pouce immédiatement à ma descente du bus. Heureusement qu'il y a la bibliothèque où, ne pouvant faire du pouce à cause du mauvais temps, je m'enferme pour y lire mes livres préférés: des romans de science-fiction. Aussi incroyable que cela puisse paraître, je réussis malgré tout mon secondaire III.

Pour ce qui est du secondaire IV, mon année scolaire s'est terminée de façon plutôt prématurée. En février, le directeur de la poly m'a fait demander à son bureau, alors que j'étais entre deux portes, et m'a annoncé que ma fiche personnelle de pointage indiquait -255. Voyant mon incompréhension de ce résultat, il m'a expliqué qu'au début de l'année scolaire, chaque élève se voyait attribué 100 points et que chaque absence ou gaffe faisait perdre des points. Normalement, lorsque tu es arrivé à 60, on avise tes parents et il doivent se présenter avec toi à l'école s'ils veulent que tu continues à fréquenter l'établissement. Je me suis retenu pour ne pas faire pipi dans mes culottes tellement j'avais le fou rire quand il m'a renvoyé; - 255, non mais, tu parles d'un contrôle! J'ai tout à coup cessé de rire lorsque, faisant du pouce pour revenir à Waterloo, j'ai réalisé que j'allais devoir annoncer cette heureuse nouvelle à mon père.

J'ai pris le chemin le plus long pour rentrer et si je ne m'étais pas retenu, je crois bien que je serais passé par les Mille-Îles et y aurais séjourné un an par île! Lorsqu'après avoir gravi les seize marches de l'escalier, une demi-marche à la fois, je suis entré dans la maison, mon père était de retour du travail et lisait son journal. Il a levé les yeux, m'a regardé par-dessus ses lunettes, et ramassant une lettre dans le porte-journaux, il m'a dit tout simplement et très calmement: «T'as l'air fin...». Il ne m'a rien dit d'autre jusqu'après le souper où il m'a alors donné trois semaines pour trouver du travail, faute de quoi il me retournait user mes fonds de culottes sur les bancs d'école. Je n'en croyais pas mes oreilles. C'était quasiment trop beau pour être vrai.

Mais à seize ans, trouver du travail, ce n'était pas plus facile dans ce temps-là que maintenant. On m'a néanmoins embauché, à titre d'apprenti-plombier, dans une usine où l'on fabriquait des roulottes de voyage. Le fait d'avoir un excellent plombier comme professeur ne m'a pas empêché de commettre quelques bévues comme de mélanger des tuyaux de gaz avec des tuyaux pour l'eau. Je n'ai pas rencontré les clients qui se sont plaints à mon employeur de ne pas les avoir avertis que la lampe à gaz était en fait une fontaine, mais j'imagine tout de même sans peine leur surprise. C'est sans doute suite à ces petites erreurs que l'on m'a muté aux installations d'armoires. Ayant grandi dans ce logis tout croche, précédemment mentionné, je trouvais ça normal que mes armoires ne soient pas au niveau, ni à l'équerre. Mon patron n'était pas du même avis et j'ai encore été muté. Cette fois, c'était dans un endroit où l'on offre des emplois.

Mes recherches ont duré deux mois. Mon père ne pouvait me retourner à l'école car on était maintenant trop avancé dans l'année scolaire et les vacances approchaient. J'ai consacré beaucoup de temps à la lecture pendant cette période creuse. Je partageais mes choix de lecture entre des ouvrages sur la deuxième guerre mondiale, plus précisément la Bataille d'Angleterre et la Bataille de l'Atlantique, des ouvrages sur la para-psychologie, l'ésotérisme. Les extra-terrestres me passionnaient aussi beaucoup. Je prenais de temps en temps des pauses d'intellectualité en étudiant l'anatomie féminine dans ces revues où l'on déplie la page centrale.

En juin 1971, on m'embaucha pour un travail d'été qui consistait à cueillir des champignons sur un quart de nuit. Je passais mes nuits enfermé dans les champignonnières en compagnie de douze étudiants de mon âge et qui étaient tous anglophones. J'ai passé un magnifique été où j'ai appris l'anglais «live», sur le tas. Le retour en classe de mes compagnons de travail a sonné le glas de ce travail que j'aimais beaucoup, surtout à cause des batailles de champignons. Notre cible préférée étant le contremaître.

Dans une usine de meubles, où l'on avait également embauché des étudiants, des emplois sont devenus vacants. J'y trouvai donc du travail, affecté au département de sablage des poteaux et bras de chaises en érable. Quand j'en avais fini avec elles, ces pièces avaient pris des allures souvent bizarres, quoique connues. Plusieurs ressemblaient à des cure-dents et mes meilleures pièces ressemblaient à des allumettes de bois, dont certaines étaient savamment sculptées. Mes patrons ont conservé leurs espoirs en mes talents très cachés pendant deux semaines, puis se sont découragés, las d'attendre l'oeuvre demandée.

Je reprends donc mes lectures instructives

jusqu'en janvier 1972, où l'on m'appela pour travailler à la même usine que mon père et où je travaillerai pendant six ans et demi. En 1974 j'achète un terrain à Stukely-Sud avec l'intention d'y installer une maison dont j'annule l'achat trois jours après celui-ci. Je conserve tout de même le terrain, on ne sait jamais. Je me suis marié en 1975 et j'ai acheté une maison à Saint-Joachim-de-Shefford en 1976. J'aime bien ce travail mais je me sens appelé par autre chose et en 1977, j'entreprends des cours d'électronique par correspondance. Ceux-ci dureront quatre ans, jusqu'à l'obtention de mon certificat. Au travail, je me suis fait de nombreux amis et j'aime beaucoup discuter d'extra-terrestres et d'autres phénomènes inusités avec deux d'entre eux qui sont dans la cinquantaine. Le premier est un véritable gobe-tout et m'arrive souvent avec des histoires à dormir debout. Le second est très rationnel, quoique aussi ouvert d'esprit. J'apprends beaucoup de ces deux bonshommes.

En mars 1978, lors d'une pause-café, le directeur d'usine arrive à la cafétéria, encadré d'un côté par le gérant de production et de l'autre par le gérant du personnel. Ça sent la mauvaise nouvelle. Avec un air d'enterrement, ils nous annoncent que la compagnie va déménager ses opérations en Ontario à la fin du mois de juin. Ça fait l'effet d'une bombe et plusieurs se mettent à pleurer, mais je ne suis pas du nombre et j'en suis surpris.

À mon retour à la maison, je dis à ma conjointe de l'époque que j'ai une nouvelle à lui apprendre. Elle me répond qu'elle aussi. Anticipant sa réaction à l'annonce de ma perte d'emploi, je préfère gagner quelques minutes et lui demande de me donner d'abord sa nouvelle. Elle m'apprend qu'elle est enceinte. Ouf! J'ai le vertige pour quelques secondes, je me reprends et lui annonce ma nouvelle. Elle va s'enfermer dans sa chambre.

En janvier 1979, je retourne à l'école pour adultes, déterminé à compléter mes études secondaires. Je débute la session en ratant la première journée de classe. Excellent début! J'avais cependant une bonne raison: la naissance de mon fils.

Comme prévu, je termine ces études en janvier 1980. Un mois plus tard, je suis ré-embauché par l'usine de meubles, mais à titre de préposé à la réception cette fois. Six mois plus tard, je suis promu acheteur. À la fin de 1982, la récession frappe dur. On coupe dans le personnel et réduit le nombre d'acheteurs. À mon retour à la maison, je dis à ma conjointe de l'époque que j'ai une nouvelle à lui apprendre. Elle me répond qu'elle aussi. Anticipant encore sa réaction à l'annonce de ma perte d'emploi, je préfère gagner quelques minutes et lui demande encore de me donner d'abord sa nouvelle. Elle m'apprend encore qu'elle est enceinte. Ouf! J'ai encore le vertige pour quelques secondes. Je me reprends et lui annonce ma nouvelle. Elle va encore s'enfermer dans sa chambre. C'est du déjà vécu et je songe tout à coup à finir mes jours sur le bien-être social, question de limiter ma descendance.

Ma fille a 19 jours lorsque je suis embauché pour mettre sur pied les départements de réception et d'expédition d'une nouvelle usine. En 1984, je vends la maison de Saint-Joachim-de-Shefford et déménage à Bromont. En 1985, je fais une dépression nerveuse et après quelques semaines de lutte atroce avec ma raison, on me déclare de nouveau apte pour le travail. Plus tard, je postule avec succès pour un poste vacant en informatique. Je change de groupe de travail et mon moral remonte. On m'envoie en formation à Boston et à Toronto. Je suis très content de ce changement de carrière. Après tout, je n'ai que trente-et-un ans. Les choses vont bien et sont stables.

Un matin d'avril 1987, alors que je me rends à la pause-café, je ressens un coup au coeur et je me sens tout drôle. Une nouvelle employée vient d'être embauchée à titre de secrétaire administrative. Contrairement à mes habitudes de gars gêné, je vais à sa rencontre, me présente et lui souhaite la bienvenue dans la boîte. Elle se présente sous le nom de Danielle. C'est incroyable ce qu'elle m'attire. Je la connais sans la connaître, ou plutôt j'ai l'impression que je retrouve une grande amie. Je demeure tout de même réservé, pas question pour moi de partir sur la «cruise»; je suis marié, j'ai des enfants et mon ménage ne va pas mal.

En décembre 1988, la morosité s'installe dans mes journées et la nuit, je souffre d'insomnie. Mon ménage s'effrite et je me sens impuissant à faire quoi que ce soit. Mon ex-conjointe, quant à elle rêve d'autonomie depuis plusieurs mois. L'été précédent, elle s'est procuré son permis de conduire. Elle s'est trouvé du travail au début du mois. J'approuve cette recherche d'autonomie de sa part mais je ne peux pas dire pourquoi. Je sors de plus en plus avec les copains du bureau. Je vis ma première et courte liaison extra-conjuguale. Les restes de mon ménage tombent par gros morceaux et je sais que mon ex-conjointe ne pourra rien y changer. De toutes façons, je ne peux pas lui reprocher grand-chose. C'est moi qui change, inconsciemment.

Au début du printemps 1989, en avril, pour être plus précis, je fais beaucoup de temps supplémentaire au bureau, surtout à cause de projets spéciaux sur des comités. Sur un de ces comités, il y a Danielle. Nous travaillons beaucoup ensemble et avons plusieurs occasions de parler de toutes sortes de choses. C'est drôle, elle aime la chasse et la pêche. J'ai beaucoup de difficultés à l'imaginer habillée en chasseresse; elle n'est pas bien grande.

L'éperlan commence sa montaison vers les frayères à la fin du mois d'avril. C'est samedi soir et j'ai envie d'aller pêcher. J'appelle mon père pour savoir s'il veut venir avec moi. Je ne me souviens plus de la raison mais il ne peut pas. J'appelle deux ou trois autres copains qui ne peuvent pas non plus. Tant pis, j'irai seul.

Je viens de partir de chez-moi et j'ai à peine quelques kilomètres parcourus que l'idée me vient d'appeler Danielle; peut-être qu'elle n'a rien à faire. Je mets mon idée à exécution.

Sur le bord du lac Memphrémagog, nous bavardons pendant que, de temps à autre, je plonge l'épuisette dans les eaux du ruisseau se jetant dans le lac pour y retirer une vingtaine d'éperlans à la fois. Plus ça va, moins je pêche et plus je me sens attiré par Danielle. Elle ne semble pas effrayée lorsque je mets ma main dans ses cheveux. Ma tête tourne et je l'embrasse. Ma tête tourne encore plus. Je l'embrasse encore. Nous retournons à Bromont en faisant un très large crochet vers mon terrain de Stukely-Sud. Nous y faisons plus ample connaissance et je la ramène chez elle très tard dans la nuit.

Ce qui reste de mon ménage, je décide de passer le bulldozer dessus. Le premier juin, je déménage chez Danielle n'emmenant que mes effets personnels et ma vieille voiture.

Je subis un gros changement d'amis. J'essuie de sévères jugements de personnes dont je ne soupçonnais pas la capacité de blâmer quelqu'un ainsi. Par contre, je reçois des mots de compréhension de gens par qui je m'attendais à être rejeté. Danielle me dit avoir vécu la même chose. Puis nous sommes passés par une foule d'épreuves reliées à nos séparations et divorces respectifs. L'émotionnel a été mis à dure épreuve mais a tout de même tenu le coup.

Le temps passe et me confirme chaque jour la justesse de mon choix. Je suis très heureux. Jusqu'ici, rien encore ne semble laisser entrevoir ce qui nous arrive.

En avril 1990, nous nous rendons au terrain de Stukely-Sud après être allé pêcher l'éperlan. Une sorte de pèlerinage, quoi! Le temps n'est pas trop froid et le ciel est parsemé d'étoiles. Nous décidons de dormir à l'arrière de ma petite voiture familiale dont j'ai abaissé les dossiers du siège arrière. À deux heures trente du matin, je m'éveille en sursaut. Par la vitre arrière de l'auto, j'aperçois tout le fond du terrain et la forêt à l'arrière-plan illuminés par une puissante lumière bleue. Ceci ressemble à l'éclairage produit par une soudeuse électrique. Je me retourne avec peine, à cause des courbatures et de l'espace restreint, afin de voir d'où vient cette lumière. Elle devrait normalement provenir du chemin de terre qui passe en face du terrain. Il n'y a rien. Au moment où je constate que celle-ci vient d'en haut, tout s'éteint. Je suis totalement excité, je dirais même paniqué. Danielle s'est éveillée au moment même où la lumière s'éteignait. Se rendant compte de mon énervement, elle me demande ce qui se passe d'une voix craintive. Je tente de lui expliquer du mieux que je peux ce que je viens de voir et lui dis que nous rentrons immédiatement à Bromont.

Arrive l'année 1991 avec son lot d'événements qui, comme d'habitude depuis que je suis avec Danielle, se déroulent à un rythme effarant. Nous installons une roulotte de voyage sur le terrain de Stukely-Sud. Non, je n'ai pas fait la plomberie ni les armoires de celle-ci, donc tout est fonctionnel et d'équerre! Ensuite, mon fils vient vivre avec nous à Bromont. J'utilise mes très humbles talents de menuisier pour lui faire une chambre à même la salle de jeux. Heureusement que mon beau-père vient m'aider et qu'il se cache un peu pour rire de mes réalisations. Nous apprenons la maladie de mon père qui va lui être fatale en janvier 1992. Danielle et moi travaillons beaucoup pour établir la fondation d'une association de Conservation de chasse et pêche.

Mais le point culminant de cette année 1991 se produit au début de novembre. Nous avions décidé de passer le week-end à notre roulotte située au terrain. C'était pendant la période de chasse au chevreuil et nous chassions dans les environs. Pendant cette journée du samedi, le soleil était présent et rien ne laissait présager la terrible tempête de neige qui se préparait. En effet, peu après le souper, la neige s'est mise à tomber légèrement. Danielle et moi décidons d'aller faire un brin de causette à mon oncle et ma tante qui demeurent à environ un kilomè-tre. Nous nous y rendons en auto. Nous parlons de chasse en buvant un bon café chaud lorsque nous entendons un vacarme venant de l'exté-rieur. Merde! C'est le chasse-neige! Nous regardons à l'extérieur pour y constater qu'une violente tempête fait rage. Une panne d'électri-cité survient presque au même moment. Nous décidons de rentrer à notre roulotte en espé-rant que l'entrée ne sera pas bloquée par la neige. Nous faisons nos salutations et quittons en vitesse.

En arrivant au terrain, un énorme banc de neige bouche l'entrée. J'embraye sur les quatre roues, me bouche le nez, et fonce dans le tas. La neige passe par-dessus le capot et on ne voit plus rien, tout est blanc. Nous franchissons la muraille blanche, mais la Toyota décide de s'immobili-ser une dizaine de mètres après avoir traversé celui-ci. Les quatre roues tournent dans le vide. Nous laissons le véhicule et nous poursuivons à pied. Il faut enlever de la neige pour pouvoir entrer dans la roulotte. C'est vraiment incroya-ble ce qu'il a pu en tomber en si peu de temps. Nous retirons nos manteaux et commençons à préparer le lit. Tout à coup, il me semble qu'il fait froid. Danielle me confirme la même sensation. Lorsque je m'apprête à régler le thermostat de la fournaise, je m'aperçois que celle-ci est éteinte. Je fais de nombreuses tentatives pour la rallumer, mais en vain. Je n'y comprends rien. Pourtant la cuisinière et le réfrigérateur fonctionnent. Nous convenons de tenter de déprendre l'auto et si ça ne marche pas, nous irons à pied demander l'hospitalité à mon oncle et ma tante. Nous nous rhabillons et sortons.

Nous marchons à peine six mètres qu'une éblouissante lumière bleue s'allume au-dessus de nous. Danielle est terrifiée et s'écrie: «C'est quoi ça??!!» Je lui dis que c'est la même lumière bleue que j'ai déjà vue précédemment. C'est curieux, cette fois-ci je n'éprouve aucune crainte. Au contraire, une douce joie mêlée d'émerveillement m'envahit. Le paysage devient féerique. Je lève la tête et vois une sphère bleue, semi-transparente, emplie d'éclairs qui vont en tous sens. La lumière est très brillante. La sphère me semble être à environ une trentaine de mètres du sol et avoir un diamètre d'à peu près cinq mètres. Ces chiffres ne sont qu'une approximation car l'épaisse neige qui continuait de tomber réduisait de beaucoup la visibilité. Le spectacle dure une quinzaine de secondes, puis tout s'éteint. Nous tentons en vain de dégager la Toyota complètement enlisée et à moitié disparue dans la neige. Nous décidons, tel que prévu, de marcher jusque chez mon oncle.

Sitôt arrivés sur le chemin, la lumière bleue réapparait et nous accompagne pendant un peu plus d'une minute. Cette fois Danielle n'a pas peur et se sent même très bien. Quant à moi, je me sens enveloppé, pénétré d'Amour; c'est très doux. La lumière disparaît puis nous arrivons à destination.

J'ignore si nos parents sont couchés car l'électricité ne semble pas être revenue. Je frappe à la porte... pas de réponse. Je frappe encore, un peu plus fort. Cette fois, j'entends des pas, la porte s'ouvre et on nous fait entrer. Nous racontons aux aînés ce qui nous est arrivé avec le chauffage, l'enlisement de l'auto, et l'apparition des lumières bleues et nous leur demandons l'hospitalité. Ma tante croit le récit sur les lumières bleues mais mon oncle dit que c'est probablement un transformateur qui a sauté ou de l'électricité qui courait sur les fils. Nous n'insistons pas et on nous dirige vers la chambre d'amis.

Nous sommes couchés depuis quelques instants lorsque soudain ma tante demande, à voix forte, si c'est nous qui jouons avec la lampe de poche qu'ils nous ont prêtée. Je réponds que non et elle se met à crier : «Les lumières bleues! Les lumières bleues!» J'enfile mon pantalon et sors de la chambre. Par les fentes des stores verticaux, on peut voir la brillante lumière bleue qui inonde le salon. Dix secondes plus tard, il n'y a plus rien. Je dis à ma tante: «Spécial hein?!!» Sur ce, nous retournons nous coucher.

En janvier 1993, nous abandonnons nos emplois pour démarrer une entreprise à notre compte dans le domaine de la micro-informatique. Danielle s'occupe de la formation et moi, de la quincaillerie.

Les mois ont passé depuis, et rien d'autre de particulier n'est venu faire de nous des êtres supérieurs avec des facultés supérieures. Nous sommes des gens normaux avec des facultés normales.

Si tout cela nous arrive, je réalise que c'est peut-être justement à cause du fait que nous sommes des gens tout à fait normaux qui ont tout simplement ouvert leur esprit avec de bonnes intentions. C'est la seule explication que je peux trouver. Bien sûr qu'on nous a guidés et qu'on a veillé sur nous, nous ne sommes pas dupes et de plus nous ne croyons pas au hasard. Nous ouvrons continuellement nos esprits et nous nous abandonnons à l'inconnu, guidés par l'Amour et la Lumière.

Recommandations

Les lignes suivantes constituent nos dernières recommandations et vous avez, comme toujours, le libre choix de suivre ou non celles-ci.

Sur votre chemin, vous rencontrerez une quantité de gens qui, toujours pour votre plus grand bienm, vous affirmeront-ils, vous suggérerons une foule de trucs destinés à vous garder en forme, à vous protéger de ci ou de ça, à mieux canaliser, à atteindre de plus hauts niveaux, de plus hauts sommets, à mieux vivre votre médiumnité, et ainsi de suite.

Nous vous mettons en garde contre ces gens qui vous veulent du bien. Non pas qu'ils soient méchants et qu'ils vous fassent ces recommandations dans de mauvais desseins. La plupart d'entre eux vous veulent vraiment du bien, et vous recommandent naturellement ce qui a été bon pour eux ou pour certaines de leurs connaissances. Par contre, d'autres se veulent du bien à vos dépends.

De l'avis de certains, les médiums et tous ceux qui travaillent dans la Lumière se doivent d'être végétariens, de ne jamais boire d'alcool ou de liquides fermentés, de ne pas fumer, de ne pas trop rire, chanter ou danser, de ne jamais se fâcher, de ne jamais faire l'amour, d'être doux, calme et compréhensif, d'être parfait quoi! Vous serez sans doute heureux d'apprendre que tout ceci est complètement faux. Vous êtes des êtres humains et avez choisi cette incarnation que vous possédez. Vous avez choisi de vivre ce que les gens appellent des «imperfections» pour votre apprentissage et avez aussi choisi de vous améliorer. Il s'agit d'un choix d'évolution, de votre choix d'évolution.

Personne au monde ne vous connaît mieux, ni ne sait mieux que vous ce qui est bon ou mauvais pour vous. Le seul problème, est que tout le monde écoute tout le monde sauf son propre Moi. Personne n'a le droit de vous juger, ni de décider de ce qui vous va ou ne vous va pas. Vous êtes Maître à bord!

Les médiums dépensent beaucoup d'énergie et nécessitent un surplus de protéines. Celles-ci se retrouvent dans les viandes entre autres et mon épouse en consomme une quantité raisonnable. Pour ceux qui sont végétariens, et qui tiennent mordicus à le demeurer, il existe des produits compensatoires offerts par des diététiciens. Encore là, les experts sont nombreux sans pour autant être tous qualifiés. Soyez vigilants.

Les variations subites et fréquentes du taux vibratoire causées par l'arrivée et le départ des Entités et la canalisation elle-même provoquent, en général, des douleurs ou à tout le moins des malaises dans différentes parties du corps. S'assurer des soins d'un massothérapeute peut devenir indispensable.

Voilà un autre domaine où le charlatanisme fait des ravages. Il existe cependant des praticiens qui se sont spécialisés dans des techniques de massages et de soins particulièrement conçus pour les médiums et autres personnes qui utilisent d'autres formes de canalisation de la Lumière.

La médiumnité et toute une gamme de phénomènes para-psychologiques deviennent de plus en plus répandus et, comme il fallait s'y attendre, des centaines de gens trouvent le moyen de vous créer des besoins. Des cours, des séminaires, des formations de toutes sortes, de prix abordables à exorbitants. Des gadgets plus ou moins utiles, toujours plus magiques l'un que l'autre, viendront rapidement à bout de votre raison, sinon de votre portefeuille. Par contre, plusieurs de ces produits, services, et formations viennent à point nommé et sont des plus bénéfiques. Les prix sont également très différents. Comme en toutes choses, il faut s'attendre à payer un peu plus pour la qualité bien qu'encore là, des gens peu scrupuleux vous vendront de la pacotille à prix d'or. D'autre part, souvent un excellent produit ou service sera offert à prix plus bas que normal dans le seul but de le promouvoir et de le faire connaître. Cette pratique est courante et de bon aloi, quoiqu'elle ajoute à la confusion lors de la prise de décision. Dans d'autres cas, comme la guérison ou divers traitements préventifs, on vous demandera un montant d'argent destiné à rencontrer l'échange d'énergie qui vous est

189

accordée. Dans plusieurs situations, le troc (échange de produits ou services...) peut très bien faire l'affaire des parties lorsque les besoins sont rencontrés. Sinon, l'échange d'énergie se résume en dollars.

Pour retrouver votre chemin dans cette jungle, vos meilleurs conseillers demeurent vos voix intérieures. Regardez, écoutez, évaluez ce qui vous est offert sans toutefois juger. Questionnez vos voix intérieures pour vérifier vos besoins et finalement, utilisez votre discernement. Vos voix intérieures vous indiqueront le niveau de confiance à accorder à telle personne ou à tel produit. Écoutez-les et vous ferez alors les bons choix.

Nous vous conseillons fortement de garder au moins un lampion allumé en permanence dans votre domicile. Sa flamme garde les vibrations environnantes plus élevées. L'utilisation de l'encens est aussi recommandé afin de maintenir les parasites et autres entités indésirables à distance. Il peut arriver que certaines personnes soient incommodées par la fumée ou l'odeur de l'encens, donc agissez avec discernement et respect à l'égard de ceux-ci dans l'emploi de ces encens. Peut-être aurez-vous à en essayer plusieurs sortes et arômes, en petites doses, avant d'arrêter votre choix.

Il est très souhaitable de mettre vos rencontres sur bandes magnétiques afin de pouvoir les réécouter plus tard, lorsque les émotions se seront quelque peu dissipées. Les messages sont souvent très nombreux et il est facile d'en oublier si l'on ne se fie qu'à sa mémoire. Si vous décidez d'utiliser un magnétophone, ne vous surprenez surtout pas si, de temps à autre, le ruban devient tout emmêlé ou qu'il se produit une défectuosité quelconque qui empêche l'enregistrement de la rencontre. Ne blâmez pas l'appareil, ni un hasard qui n'existe pas. Ne vous questionnez même pas... C'est pourquoi la prise en note sur papier des grandes lignes de la rencontre devient parfois très très très utile.

En tant que médium, vous pouvez éventuellement vous attendre à être sollicités par des gens désireux de rencontrer «vos» Entités pour obtenir une ou plusieurs consultations. Vous devez être conscients qu'il s'agit ici d'un service qui exige de la part du médium une dépense de temps et d'énergie, et qui du fait, commande à une forme de compensation quelconque. Comme précédemment cité, celle-ci peut être sous forme de troc ou d'un montant d'argent.

Soyez très prudents afin d'éviter de sombrer dans la cupidité en exigeant des sommes trop élevées, mais ne soyez pas non plus trop magnanimes ou généreux. Utilisez, encore une fois, votre discernement. Le meilleur moyen pour établir le montant d'argent à percevoir pour les consultations consiste à demander aux Entités canalisées de le fixer pour vous. Les groupes d'Entités de haut niveau vibratoire travaillent tous ensemble et communiquent aisément et régulièrement entre eux. Il est donc plus facile pour eux de décider d'un montant raisonnable selon votre popularité et votre disponibilité. Cette dernière en passant, et vous pouvez vous y attendre, ira en diminuant. Les Entités établissent le montant de l'énergie d'argent en rapport avec le taux de validité de informations données.

La plupart des nouveaux médiums se questionnent sur quels types de vêtements ils devraient porter lorsqu'ils canalisent et de quelles couleurs ceux-ci devraient être. La couleur idéale est sans contredit le blanc car cette couleur favorise l'ouverture du canal de Lumière, quoiqu'un vêtement de couleur pâle peut aussi faire l'affaire. Ce ou ces vêtements, en fibres naturelles, se doivent d'être amples ou très extensibles afin de ne pas exercer une pression exagérée sur certaines parties du corps, laquelle risquerait d'ankyloser le sujet tout en plaçant aussi l'Entité dans l'inconfort.

Pour ce qui est de la fréquence et de la durée des rencontres, il va de soi que ceci est très particulier à chaque médium et à sa condition physique. Il est cependant recommandable de faire une rencontre par jour afin de familiariser le corps avec l'intensité du taux vibratoire de l'Entité canalisée.

La plupart des médiums font une transe par jour dont la durée varie de vingt à quatre-vingt-dix minutes. Plus les rencontres seront longues, plus le sujet se fatiguera et s'usera, énergétiquement parlant. Après discussion avec d'autres médiums, il apparait préférable de faire deux ou trois rencontres de vingt à quarante minutes dans une journée qu'une seule de deux heures. Bien que la responsabilité de la sécurité du médium revienne au directeur, «vos» Entités devraient, de toute façon, surveiller constamment l'évolution de la fatigue corporelle et spirituelle du sujet pendant la rencontre et aviser le directeur de tout inconfort anormal. Les localisations de gens ou d'objets sont particulièrement «vidantes» pour la forme, aussi il est recommandé de ne pas excéder sept demandes de localisations à l'intérieur d'une même rencontre et de plus, cette quantité s'applique aux médiums qui canalisent déjà depuis plusieurs mois.

Lorsque vous travaillez avec la Lumière, que ce soit en tant que médium, directeur de rencontres, ou peu importe le domaine, soyez assurés que l'on veille sur vous et que jamais, au grand jamais, vous ne vous retrouverez abandonnés. Tout ce qui vous est nécessaire vous sera accordé avant même que vous n'ayez à le demander, et avec une mesure comble de surcroît! Le besoin n'a pas à naître. Ayez la Foi et ne doutez pas. Qu'on l'appelle Dieu, le Tout-Puissant, le Grand Manitou, Allah, la Source ou l'Intelligence Suprême, Il a choisi des êtres et des moyens pour répandre sa Lumière. Vous faites partie de ceux-ci. Abandonnez-vous à Sa Volonté et laissez-vous guider par cette Lu-

193

mière Infinie en toute confiance.

Enfin une dernière recommandation, et non la moindre: vous, médium, ne canalisez JAMAIS seul(e). Assurez-vous l'assistance d'un directeur de rencontres. Gardez en tête, sans toutefois en faire une obsession, que vous devez éviter les risques de «pannes d'élévation» qui pourraient être fort traumatisantes et même vous empêcher de canaliser pour plusieurs mois, sans parler des séances en «atelier de désintoxication» devenues nécessaires afin de vous débarrasser d'un hurluberlu éthéré qui a tout bonnement décidé de s'incruster. Les dangers de canaliser une Entité de bas niveau vibratoire sont réels, ne prenez donc pas de chances inutiles. Et vous directeur, n'expédiez JAMAIS votre protégé(e) en transe sans avoir récité consciemment les prières de protection. Si vous ne reconnaissez pas les vibrations des Entités habituellement canalisées ou, si vous êtes avec un médium qui canalise pour la première fois ou que vous dirigez pour la première fois et dont les Entités font preuve de jugements de toutes sortes ou semblent doués pour la flatterie, exigez de connaître leurs identités et si les vibrations ne vous semblent pas suffisamment élevées, exigez carrément leur départ et récitez la Prière du Tout-Puissant pour obtenir la Lumière et la Protection nécessaires.

Nous avons conscience qu'il peut paraître paradoxal de vous mettre en garde contre les «donneurs de conseils» et d'ensuite vous recommander une foule de mesures. Sur ce, nous ne pouvons que vous réitérer d'écouter vos voix intérieures et d'agir avec le plus grand discernement, même si les mesures que nous vous recommandons ont été vécues et testées avec succès. Vous vivez vos propres expériences selon votre propre évolution. Le choix final vous appartient, vous a toujours appartenu et vous appartiendra toujours. N'oubliez jamais que, VOUS ÊTES MAÎTRE À BORD!

Les Guerriers de Lumière

Qu'on les appelle les Guerriers de la Lumière ou Guerriers de Lumière, il s'agit des mêmes Entités. Ces Guerriers m'ont enseigné plus que je n'aurais jamais cru être capable d'apprendre. J'ai pleuré, médité, pleuré encore. Le travail qu'ils ont accompli auprès de moi et Danielle est phénoménal. Je ne me reconnais plus, ou plutôt oui, maintenant je me reconnais de plus en plus. Mon essence m'apparait. Cette essence divine, aussi relatée par les Anges Xédah (très bons amis des Guerriers...) par le biais des livres de Marie Lise Labonté, m'apparaît dans toute sa simplicité et sa splendeur chaque fois que j'ai l'immense plaisir de rencontrer mon âme dans un intime tête-à-tête.

Ces Entités magnifiques m'ont appris à voir les choses telles qu'elles sont, à ne point juger, bien que je m'échappe de temps à autre. C'est normal, naturel, dans ma nature incarnée et je l'accepte même si je travaille constamment à m'améliorer. Nous devons vivre et avoir conscience de vivre. Il n'y a pas d'erreurs. Il n'y a qu'apprentissage, évolution, l'irréversible évolution. J'apprends à mettre ces erreurs à profit et non à les laisser me diminuer. Tout est expérience, et l'expérience c'est l'évolution.

Je parle pour moi et aussi pour Danielle. Nous vivons les mêmes expériences ou presque. Nous sommes très «branchés» et souvent les paroles ne sont plus nécessaires. Les Guerriers de Lumière sont constamment avec nous, quoique leur nombre varie selon les circonstances.

En cet été 1998, "Lumières sur la Médiumnité" vous a été offert avec notre coeur. Cet ouvrage qui relate nos débuts doit être aussi perçu avec la vision et la compréhension des néophytes que nous étions. Les inexactitudes qui auraient pu y être présentes ont été corrigées ou retirées. Certains informations peuvent sembler imcomplètes et nous n'y avons rien changé pour la simple raison qu'il fallait bien qu'un jour ce livre paraisse et qu'à tout instant, à tout propos des informations auraient pu et pourraient encore être ajoutées.

Une suite à ce livre est en préparation et paraîtra sou peu sous le titre de "Sur les Ailes de la Médiumnité". Une foule de faits nouveaux vous y seront dévoilés avec autant de suspense, d'informations et bien sûr, beaucoup d'humour.

Danielle a déjà franchi le cap des 875 rencontres, totalisant plus de 42,000 minutes de transe, l'équivalent d'un mois en transe continue

Encore aujourd'hui, chaque nouvelle rencontre avec les Guerriers de Lumière est toujours aussi étonnante et révélatrice. Thébarra se porte bien et les Guerriers sont toujours aussi taquins.

Quant à moi, je me prépare à transmettre par écrit les Enseignements dispensés par nos amis célestes, lesquels vous seront disponibles sous peu. Les Guerriers de Lumière recrutent ceux qui veulent propager la Lumière du Tout-Puissant. Si vous êtes de ceux-ci, soyez attentifs à l'appel et répondez: «Présent!».

À leur manière, nous vous saluons et que la Lumière du Tout-Puissant vous entoure et vous protège.

Votre humble serviteur, Zémüra.

Les annexes.

Afin de mieux vous éclairer et vous diriger dans vos recherches et répondre à des questions qu'aurait pu susciter la lecture de ce livre, nous vous proposons les pages suivantes en annexes.

Tel que promis dans l'introduction, vous y trouverez des renseignements que vous pourrez utiliser au besoin. Ces informations vous sont offertes à titre de point de départ, il ne s'agit en aucun cas d'une bible de la médiumnité. Nous réservons ces objectifs pour un prochain ouvrage.

Nous souhaitons vivement vous être d'une aide quelconque.

ANNEXE 1 :

Le Notre Père

(ou Prière du Tout-Puissant)

Notre Père qui est aux cieux
Que Ton Nom soit sanctifié

Que Ton règne vienne

Que Ta Volonté soit faite
Sur la terre comme au ciel

Donne-nous aujourd'hui
Notre pain de ce jour

Pardonne-nous nos offenses
Comme nous pardonnons aussi
À ceux qui nous ont offensés

Ne nous soumets pas à la tentation

Et délivre-nous du mal.

ANNEXE 2:

À votre service !

Entités
Les Guerriers de Lumière.

Médium: Thébarra

Correspondance: Les Éditions
Liberté Nouvelle
275A Principale
St-Sauveur-des-Monts
(Québec) Canada
JOR 1RO

- Ateliers
- Ateliers thématiques
- Rencontres privées, semi-privées, et publiques.
- Formations
- Formations de directeur de transes
- Semaine de Ressourcement Spirituel

ANNEXE 3:

La Prière de la Lumière

ou
l'Hymne «National» des
Guerriers de Lumière !

Nous sommes la Lumière du Tout-Puissant

Nous sommes la Lumière du Tout-Puissant

La Lumière est en nous

La Lumière passe à travers nous

La Lumière nous entoure

La Lumière nous enveloppe

La Lumière nous protège

Nous sommes la Lumière du Tout-Puissant

Nous sommes la Lumière du Tout-Puissant

ANNEXE 4:

Lectures choisies.

BERGIER, Jacques, PAUWELS, *Le matin des magiciens*, Éditions Gallimard, Collection Folio, 1960, p.638

COELHO, Paulo, *L'Alchimiste*, Éditions Anne Carrière, 1994, p.221

LABONTÉ, Marie Lise, *Ces voix qui me parlent*, Les Éditions Shanti, 1993, p.194

SPALDING, Baird T., *La vie des Maîtres*, Éditions Robert Laffont, 1972, p.444

SPALDING, Baird T., *Ultimes paroles*, Éditions Robert Laffont, 1985, p.164

TABLE DES MATIÈRES

Introduction 7

Destination inconnue 11

Faut que j'en parle! 19

Attention aux ténèbres! 21

Notion du temps et délicatesse 31

Découvertes 35

Le petit Robert ou le petit Larousse 53

Fantastique! 55

Des doutes et des voix 59

Du coeur de la Terre jusqu'au Septième
Ciel 77

Carnets de missions 81

Pour la protection du médium 95

Attachez vos ceintures! 99

Cause toujours...! 121

Rapport d'événements 125

Opération nettoyage 129

Les papillons de nuit 141

Pourquoi moi? 143

Purifications et métamorphoses 159

Comme un petit enfant 161

Qu'est-ce que je fais là? 165

Recommandations 187

Les Guerriers de Lumière 197

Les annexes 201

Annexe 1 : Le Notre Père
            (ou Prière du Tout-Puissant) 202

Annexe 2 : À votre service 203

Annexe 3 : La Prière de la Lumière 204

Annexe 3 : Lectures choisies 205

L'auteur 206

L'AUTEUR

Jean-Yves Labonté a connu l'éveil spirituel en 1994 lorsque sa conjointe a débuté, sans crier gare, un processus de canalisation en transe profonde. Cet événement fut pour lui le signal de départ pour une très longue aventure à la découverte de lui-même sous la guidance des Enseignements des Guerriers de Lumière. Jean-Yves ne possédait aucune connaissance préalable en théologie, en métaphysique, en sciences occultes, ou en toute autre discipline d'aspect spirituel existante.

Aujourd'hui, outre son travail d'informaticien, il travaille assidûment et quotidiennement dans l'acquisition de la plus grande maîtrise qui soit : celle de lui-même. Ses écrits n'ont pour seuls buts que de vous faire partager avec lui ce qu'il a reçu et de vous amener à la rencontre de l'Être le plus merveilleux qui puisse exister : vous-même.

À paraître chez le même éditeur

Titres en français :
Branchez-vous... sur votre âme, Yvon Le Verrier
Des miracles... au quotidien, Christiane Larouche
Énergie REIKI, secrets et symboles, Dr Alain Courchesne
La paix au-dedans de soi, Orin et Daben
La vie au-delà des nuages, Orin et Daben
Le cheminement de l'Esprit vers la guérison de l'âme et du corps, Pierre Dubuc
Les chemins de la prospérité, Michèle Guerrero
Les enseignements des guerriers de la lumière, tome I, Jean-Yves Labonté
Méditation angélique de Christiane Müeller, Terry Cox
Ô miroirs, dites-moi!, Nicole Dumont
Pas besoin de mourir pour aller au ciel, Gilberte Dubé
Quête au coeur de la nature, I,Una
Sous les ailes de l'aigle, Metshu
Sur les ailes de la médiumnité, Jean-Yves Labonté
Une pause-café inattendue avec Dieu, Kane

Titres en anglais :
An unexpected coffee break with God, Kane
Quest in the heart of nature, I,Una

Titres pour enfants :
Boule de gomme et compagnie, Coralie Allès
Les découvertes d'Étincelle, Lucienne Desforges
Oralis, l'ange des étoiles, (Livre-disque) Patrick Bernhardt

Divers :
Jeu de cartes et livre *Vision*, Céline Jacques
Le Tarot Renaissance, Serge Saint-Jean

OFFRE D'UN CATALOGUE GRATUIT

Si vous désirez recevoir le catalogue de nos publications et les informations sur nos nouveautés,

DÉCOUPEZ ET POSTEZ À :
Les Éditions Liberté Nouvelle
275 A, rue Principale
Saint-Sauveur-des-Monts
(Québec), Canada, J0R 1R0

Téléphone : 1 (888) 751-0090
(450) 227-0090
Télécopie : (450) 227-0025
Courrier : libernou@promodistinction.com
Site : www.promodistinction.com

✂ ....

Je désire recevoir les informations sur vos publications.

Nom :
_____

Profession :
_____

Compagnie :
_____

Adresse :
_____

Ville :   Province :
_____

Pays :   Code postal :
_____

Téléphone :   Télécopieur :

Imprimé au Canada
troisième trimestre 1998